顔を見れば病気がわかる

How to Detect Diseases from the Human Face By YOSHIAKI OMURA, M.D., Sc.D.

O-リング応用健康法

医学博士
大村恵昭

文芸社

はじめに

それまでなかった深いシワやシミが急に顔に表れたなら、それは何らかの病気のサインかもしれません。なぜなら、顔には臓器の異常が表れることが多いからです。

そのように、顔の各部位には、それぞれ異なる臓器が対応していることを、O－リングテスト（後述）を使って確かめました。顔のどの部分にどの臓器が対応しているかを示す分布図を世界で初めてつくり、実際に臨床に用いています。それは**「顔の臓器代表領域」**と呼ばれており、世界各国の医師たちによって病気の早期発見に役立てられています。また、顔にある臓器の代表領域に対していろいろな刺激方法を使うことによって、その臓器の病気を予防したり、治癒を促進したりすることができます。

一方、手のひらの各部位にも顔と同様に、それぞれ異なる臓器が対応しており、そちらは**「手の臓器代表領域」**と呼ばれます。

病院できちんと処方された、ある臓器に効く薬が、その本来の効き目をいまひとつ発揮しない……というような場合に、この「手の臓器代表領域」が役立ちます。薬を効かせたい臓器に対応する代表領域を刺激することにより、選択的に異常部位に薬を集中させられるので、薬の効き目が断然違ってくるのです。この方法は著者自身が発見し、「**選択的薬剤取り込み増加法**（Selective drug uptake enhancement method）」と名づけました。現在、各国で使われています。

このような働きのある「臓器代表領域」は顔や手だけでなく全身に存在しており、中国医学などではよく知られている、いわゆるツボ（経穴）というのもその１つと考えることができます。

しかし、古来伝えられている臓器代表領域の位置は正確でないことが多い、ということもわかってきました。そこで、私は医師が診療に使えるレベルの精度を目指して、その「臓器代表領域」の正確な位置を実証的に調べてみようと考えたのです。

その過程において生まれたのが、１９８０年代に発見したＯ－リングテストという検査方法でした。

Ｏ－リングテストの正式な名称は「バイ・ディジタルＯ－リングテスト（Bi-Digital O-Ring Test）」といいます。これは「２本の指でつくったＯ－リングで行うテスト」という意味であると同時に、Ｏ－リングが開くか開かないか、というデジタルな形で検査できる方法という意味もあります。

Ｏ－リングテストでは、患者の異常部に触れたときに患者が指でつくった輪が開きやすいかどうかで、病気の有無や異常の程度、病巣部の局在をはじめ、薬の有効性や各個人の適量、２つ以上の薬を同時に使うときに問題になる薬と薬の間の相互作用による薬効の消失や中毒化、薬の成分が患部にどの程度入っているのかということ、それから、治療効果を安全・正確に短時間で調べたり、身の回りの食べ物や飲み物や衣類などが体にとってプラスなのかマイナスなのかを判断することができます。

西洋医学的には理解しがたいことかもしれませんが、私はさまざまな実験を通してＯ－リングテストが有効であることを証明しました。

それは日米の医学部および歯学部の教授クラスの研究者たちによって追試され、また、その結果をもってアメリカでは特許を取得しています。確かな裏づけがある、ということで特許が認められたのです。

そして、現在では医師をはじめとする多くの医療従事者により、体に傷をつけずに短時間に病気の早期発見と適切な投薬を可能にする検査法として活用され始めています。２０

12年5月には旧ユーゴスラビアの中心地セルビアの首都ベルグラードでは、O－リングテストが過去4年間に最も医学に貢献した新しい医学分野とされました。医師と歯科医が国で認められたコースを150時間取って試験にパスすれば、O－リングテストのライセンスが取れる制度ができました。このような制度はヨーロッパ各国に広がりつつあります。

「顔の臓器代表領域」と「手の臓器代表領域」は、O－リングテストで各領域の正確な位置を検証して成ったものです。それは、**医療現場において医師や歯科医、あるいは看護師や鍼灸(しんきゅう)師などが活用できるばかりでなく、特に専門知識のない一般の方であっても、病気の早期発見と治癒促進に役立てられます。**

本書ではその具体的な活用法を皆さんにご紹介し、さらに、O－リングテストの基本的な考え方と、その研究から見出された、健康と長寿のための方法についてもご説明します。加えて、読者の皆さんが自分自身で身の回りのものを調べて、それが体にプラスかマイナスかをO－リングテストで判断する方法についても掲載しています。

これらの情報をもとにして、できる範囲で結構ですから健康づくりに取り組んでみてください。

健康と長寿のポイントは、体にマイナスになるものをできるだけ退け、プラスになるものをできるだけ取り入れるということにあります。Ｏ－リングテストは、何がプラスで何がマイナスかということについて明確な指針を皆さんに与えてくれるでしょう。

Ｏ－リングテストは、体に傷をつけたり負担をかけたりすることなく、短時間で病気の診断を行うことができ、がんなど治療の難しい病気に対しても最善の治療法を見つけることのできる画期的な方法です。これにより、病気の早期発見と患者に負担のかかりにくい医療が実現すれば、国の医療費も節約できるはずです。

本書が皆さんの健康維持や病気の予防に貢献し、医療にかかわる方に対しては、Ｏ－リングテストによる新しい医療のあり方を示すものとなれば、これに勝る喜びはありません。

２０１２年７月

Ｏ－リングテストの創始者　大村恵昭

顔を見れば病気がわかる◎目次

第4章 長寿と健康を実現する方法

第5章

O－リングテストによって身の回りのものをチェックしよう

本文イラスト　青木宣人
本文レイアウト　谷井淳一

第1章　顔に表れる異常でわかる病気のマップ

顔を見れば病気がわかる

顔を見て病気がわかる——といっても占いの話ではありません。

ここで私がご紹介する**「顔に表れる異常でわかる病気のマップ」**（正式には「顔の臓器代表領域」といいます）は医学の分野で扱われるものであり、科学的な手順に基づいてきちんと検証されているものです。また、多くの研究者や臨床医によって追試され、医療の場で実際に活用されてもいます。

この「顔に表れる異常でわかる病気のマップ」を作成するときに用いたのが、O－リングテストと呼ばれる検査法です。これは2本の指でアルファベットの「O（オー）」のリング（輪）をつくり、それを別の人が引っ張ることで、O－リングの握力の変化を確認して、体の異常や薬の適量などを知るための方法です。

正式には「バイ・ディジタルO－リングテスト」（Bi-Digital O-Ring Test）といい、アメリカ、ヨーロッパ、日本をはじめとする世界の多くの国で、医療分野における補助診断法として導入されています（日本およびアメリカでのトップクラスの医学および歯学部の教授たちのサポートにより、1993年にはアメリカで特許が認可されています)。

O－リングテストの詳細に関しては第3章で触れることにして、本章では「顔に表れる異常でわかる病気のマップ」とはどういうもので、どう役立つのかということを主にご説明しましょう。

O－リングテストによって、顔の各領域に臓器の代表領域をマッピングしたものが、ここでご紹介する「顔に表れる異常でわかる病気のマップ」です。

顔で病気を判断するという考え方自体は、私独自のものではなく、かつては中国医学の一部に存在していました。ところが、やがてそれは医学の世界から忘れ去られ、形を変えて中国の顔相(がんそう)占いの世界に引き継がれていったようです。

10年以上前のことになりますが、私は台湾の国立中医学(ちゅういがく)研究所というところで講演とデモンストレーションのために招待されて台北に行ったときに、そこで一番大きな中国の古書を扱う書店を訪れたことがあります。書店といっても歴史ある図書館のような感じで、数百年前の本が何百冊とあるような壮観な場所です。

当時、私はすでに顔の代表領域の研究を始めていたので、そこに何十という数の顔面診断の本があるのを見て大変興味を持ちました。

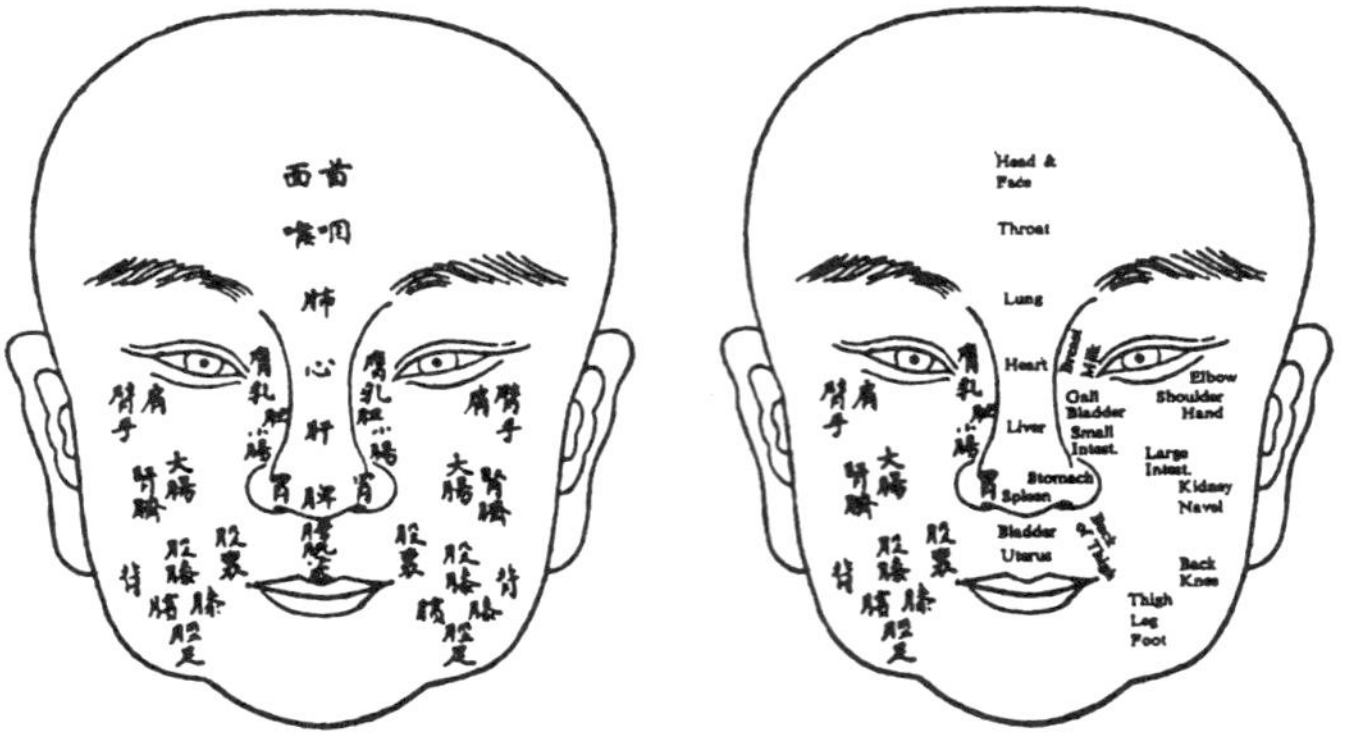

『内経知要』に掲載の図

手始めに、それらの本を購入してよく調べてみると、著者が違っていても、その内容はほとんど同じであり、元になる本から書き写されたものであることがわかりました。私の知る限り、その最古のものの１つは明代後期の１６４２年に書かれた『内経知要（ないけいちよう）』という本です。

もっと古い本やもっと詳しく書いた本もあるかもしれませんが、とりあえずそれの現代の再版本を安く入手できたので、台湾からニューヨークの自宅に戻った私は、『内経知要』をはじめとするそれらの本に書かれた、顔と臓器の対応関係が本当に正しいのかどうか調べてみることにしました。

さっそく、Ｏ－リングテストでその内容を

検証してみましたが、そこで示されている代表領域はどうも正確なものではありません。かなり近い位置のものもありましたが、それでもその臓器代表領域の多くは正確な場所からズレているのです。

「顔に臓器と対応する領域がある」という根本の概念は決して間違いではありませんが、この不正確な内容では医学的な検査の目的で使うことはできません。おそらくそれが原因で、中国医学の世界では忘れ去られてしまい、占い師の世界に取り入れられて、現代に残ってきたのでしょう。

しかし、私はこれを信頼できないものとして捨て去ることができませんでした。顔は普段から露出している部分ですから、そこで診断ができるということには大きな利便(りべん)性があるからです。

そこで私は、O－リングテストによって臓器と対応する顔の正しい代表領域を探り、正確な「顔に表れる異常でわかる病気のマップ」をつくってみようと考えました。

それは、各臓器の正常組織の標本を顕微鏡で見られるようにスライドにしたもの（病変組織の標本スライド）を用い、私が発見した「O－リングテストによる同一物質間の電磁波共鳴現象を見つける方法」を使って顔の各領域との間で電磁場共鳴現象が起きるかどうかをチェックしていくという方法で行います。

こう書くと簡単なようですが、結果的に「顔に表れる異常でわかる病気のマップ」の作成には15年間もの歳月を費やすことになりました。その具体的な方法については多少込み入った説明になりますので、これも第3章で改めて触れることにしましょう。

◯顔に表れる「異常」のサイン

この「顔に表れる異常でわかる病気のマップ」を使うと、一般の方であっても病気を早期発見するヒントが得られます。もちろん、これだけで確定的な診断を下せるわけではありませんが、病院における検査では見逃されてしまうような、このような病気のヒントが顔で見つかったときは医師に詳しく調べてもらうようにしてください。**ごく初期の病気、いわば「隠れた病気」であっても見つけられる可能性があるのです。**

一般の方が「顔に表れる異常でわかる病気のマップ」で病気を発見するには、正常な状態と異常な状態とを見分ける必要があります。

腫れ	対応する臓器の機能低下を表すが、器質的な変化はまだ起きておらず、病気以前の機能的異常の段階。
深いシワやミゾ	その領域に対応する臓器の病気、特にがんを疑う。それまでシワのなかったところに突然表れたような場合に、異常とみなす。若い頃にはシワがなかったのに、中年以降に深いシワができたという場合には、約70パーセントの割合でその領域と関係する臓器に何らかの異常があると考える。
変色	黒みがかった場合はがんを疑う。
ほくろ、シミ、斑点	それまでなかったところに急に表れた場合には、対応する臓器に何らかの異常が生じている可能性あり。

皮膚がなめらかでシワやシミなどがない状態は「正常」である可能性が高く、その逆に深いシワやミゾ、腫れ、変色などがあれば「異常」である可能性が高いと考えてください。

このうち、腫れに関しては対応する臓器の機能低下を表しますが、器質的な変化はまだ起きておらず、病気以前の機能的異常の段階だといえます。一方、深いシワやミゾに関しては、その領域に対応する臓器の病気、特にがんを疑います。

ただし、シワに関しては加齢によるものであることや、あるいは若いときからずっと同じ場所にシワがあるという人もいるので、判断としては、それまでシワのなかったところに突然表れたような場合に、それを「異常」とみなすといいでしょう。

これまでの経験上、若い頃にはシワがなかったのに、中年以降に深いシワができたという場合には、約70パーセント以上の割合でその領域と関係する臓器に何らかの異常があると考えていいようです。

また、変色に関しては、黒みがかったり、茶色を帯びたり、赤みがかったりする、といったパターンが考えられますが、このうち、黒みがかった場合についてはやはりがんを疑います。

皮膚に表れる、ほくろ、シミ、斑点などは必ずしも異常のサインとはいえませんが、それまでなかったところに急に表れた場合には、対応する臓器に何らかの異常が生じている可能性があります。

なお、外傷によって傷がついたような場合、その領域に対応する臓器に何らかの悪影響があるかどうかは、まだ十分には検証されていません。ただ、これまでの経験から、悪影響が及ぶ可能性があるように思います。

このように、顔に表れるさまざまな異常を観察することで、病気の早期発見が可能となりますが、顔を目視（もくし）で確認するだけでは、正常であるか異常であるかを確実に判断することはできないということをよく理解してください。

たとえば、特定の部位の皮膚に問題が見られない場合でも、O－リングテストでそこをチェックすると「異常」と出ることがあり、その逆に、深いシワなどがあり異常と思われる部位であっても、O－リングテストでは「正常」と出ることがあります。

つまり、**「顔に表れる異常でわかる病気のマップ」を使って正確な診断をするには、必ずO－リングテストを併用する必要があるのです。**

O－リングテストでは、病変組織の標本スライド（117ページ写真参照）を用いることで、正常か異常かだけでなく、どのような異常があるのか、またその異常の度合いについても知ることができます。このテストでは、被験者の指が開いた場合に異常があるとみなしますが、開く度合いがわずかであれば正常範囲にあるものと考えます（ただし唯一の例外として、胸腺に限っては正常な場合に胸腺に触れたときにO－リングが開き、異常があるときはO－リングが開かないので注意が必要です）。

指の開き具合には「−1」「−2」「−3」「−4」「−5」「−6」という段階があり、そのうち「−1」と「−2」は正常範囲としてとらえ、「−3」→「−4」→「−5」→「−6」という順で異常の度合いが強くなっていくととらえます（この点については専門的になるので本書では細かい解説はしませんが、異常が大きいほどマイナスの数値が大きくなるという程度に理解しておいてください）。このような判断は顔を見ただけでは無理な話です。

なお、O－リングテストで「顔に表れる異常でわかる病気のマップ」を調べる場合には、体の中心を縦に通る正中線（せいちゅうせん）を挟んで左右対称に存在する領域の片方だけではなく、必ずその左右両方をチェックします。それは、左右どちらかだけが異常を示すことがあるからです。

そういったわけで、本書でご紹介する「顔に表れる異常でわかる病気のマップ」を目視でチェックする方法はあくまでも1つの目安であり、確定的な診断にはO－リングテストと通常の医学的な検査法の両方が必要であると考えてください。

第5章では参考までにO－リングテストの基本的なやり方をご紹介していますが、本で学んだだけでは精度の高い診断はできないので、**より正確な診断を求める場合には、日本バイ・ディジタルO－リングテスト協会の認定を受けた医師や歯科医のところで受診してください。**

近くにそのような医師がいない場合には、一般の病院で検査を受けることになりますが、その検査では「異常なし」という結果が出ることも少なくありません。それは、病院の検査では検出できない初期段階の病気が、異常として顔に表れることがあるからです。「顔に表れる異常でわかる病気のマップ」による診断は絶対ではありませんから、病院の検査で出た「異常なし」という結果が正しいこともありますが、正確なところはこの段階ではわからないので、病気の早期発見を第一に考えるなら、顔に何らかの異常が出た方には、認定医によるO－リングテストを受けることをお勧めしたいと思います。

顔を見ただけで膵臓（すいぞう）がんを当てた

「顔に表れる異常でわかる病気のマップ」による診断の確かさは、数多くの医師により実地に証明されており、そこで検証された内容は学術論文としても発表されています。ただ、本書は一般の方向けの本ということもあり、その論文をそのまま掲載するわけにもいきません。

そこで、読者の皆さんのために、この方法の確かさを示す印象的な例を1つご紹介しておきましょう。

私が講演のためにブラジルのサンパウロに行ったときのこと。ある医師が自分の患者を連れてきて病名を当てるように私に言いました。私が主張していることが本当かどうかを試そうとしたわけです。

その患者の顔をよく見ると、目の下外方の膵臓頭部の部分に深いミゾがあり、「これはおそらく膵臓がんの可能性が高いだろう」と感じました。正確に診断するにはO－リングテストを行う必要がありますが、とりあえずその時点の判断として開口一番にそれを伝えたところ、その医師と患者が非常に驚いた様子を見せました。

事情を聞くと、実はその患者は膵臓がんの手術を受けたばかりであるとのこと。

さらに、患者のいないところでその医師が打ち明けてくれたところでは、実は手術では病巣を切除することができなかったといいます。開腹しただけでそのまま閉じたのですが、本人には「手術は成功してがんは取り除いた」と伝えたそうです。

なるほど、それで膵臓がんの反応が出たのだと納得しました。

私たちO－リングテストを使う医師は、このようなケースをたくさん経験しており、そのことから「顔に表れる異常でわかる病気のマップ」の確かさを確信しています。

これからご紹介する「顔に表れる異常でわかる病気のマップ」の見方では、一般の方向けということもあり、すべての臓器代表領域ではなく目視で確認できる特徴が出やすいところに絞って解説しています。そのいくつかについては、著名人の例も挙げているので参考にしてみてください。

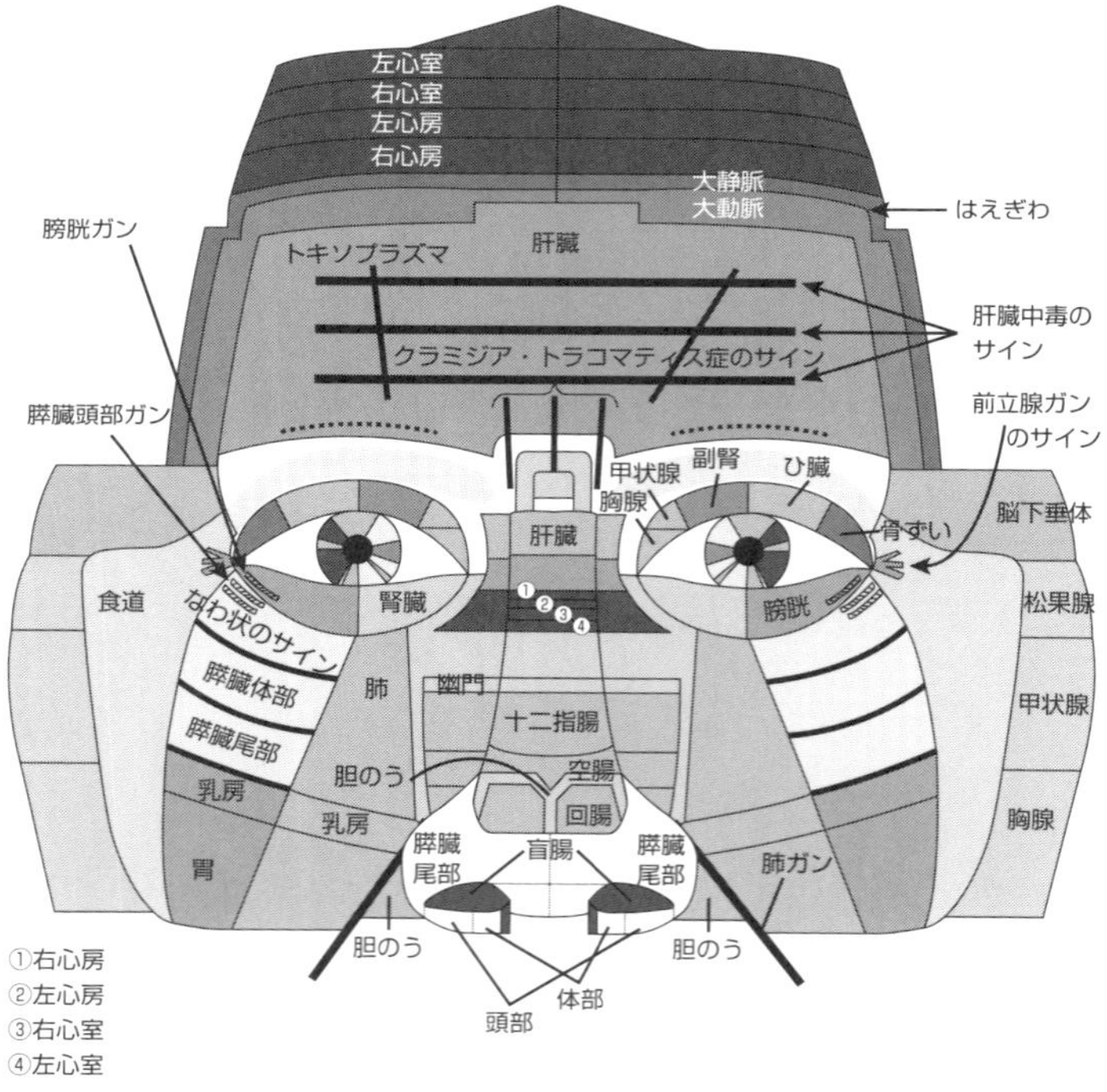

顔に表れる異常でわかる病気のマップ（顔の上半分）

すい臓頭部がんでは目の下外側にある膀胱代表領域の下にあるすい臓の頭部代表領域に深いミゾやなわ状の皮膚の異常が何本も平行に現れることが多いです。

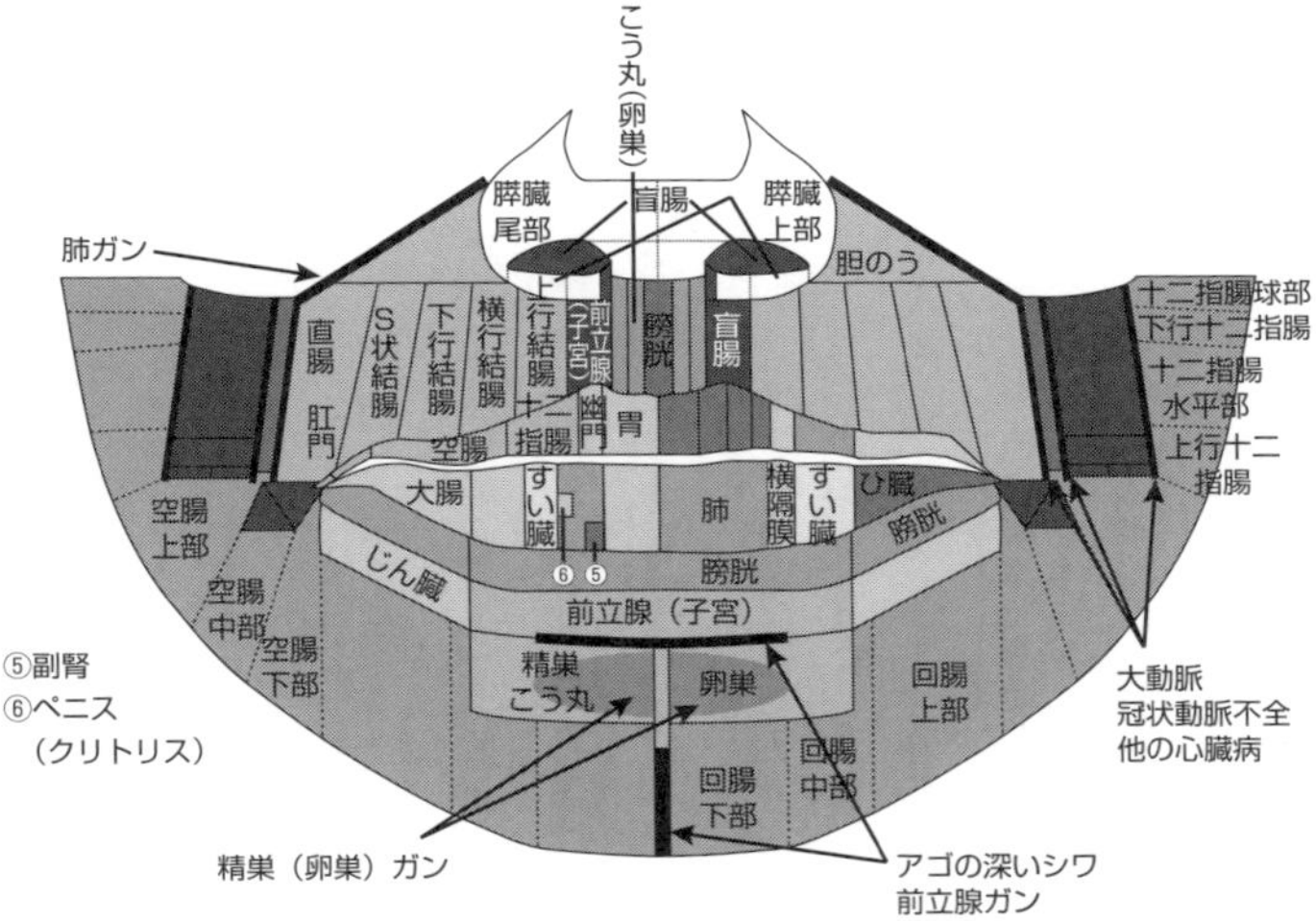

顔に表れる異常でわかる病気のマップ（顔の下半分）

◯顔に表れる異常でわかる病気のマップ① 目より上のエリア

クラミジア・トラコマティス感染のサイン——眉間の縦の深いミゾ

眉間に縦に走る深いシワがある場合、クラミジア・トラコマティスという細菌に感染している可能性があります。**深ければ深いほど感染の可能性が高い**と考えてください。

28ページの図では3本のシワが描かれていますが、2本や1本だけの人もいます。また、シワがなくても、この部分をO－リングテストで調べたときに異常が見つかれば感染していることになります。

クラミジア・トラコマティスは、トラコーマ、性器クラミジア感染症、鼠径(そけい)リンパ肉芽(が)腫(しゅ)の原因となる細菌であり、アメリカでは70パーセントもの人が感染しているといわれています。

著名人でこれがわかりやすく出ているのが、バラク・オバマ米大統領です。

彼の写真を見ると眉間に縦の深いミゾが二つあり、その写真をO－リングテストで調べると右側は正常ですが、左側に強い異常が見られます。また、全身を対象に調べてみても、やはりクラミジア・トラコマティスの感染が見られます。

なお、O-リングテストによる顔の臓器代表領域の検査は、このオバマ大統領の例のように顔写真によっても行うことができます。それについての詳細は第3章を参照してください。

肝臓の代表領域——前額部

額（ひたい）の部分はほとんどが肝臓の代表領域となります。特に、深い横ジワがある場合には、アルコールや化学物質による中毒のサインであることが多いです。それから、眉の少し上のところに、ゆるやかな途切れ途切れのシワがある場合には、肝臓がんの可能性を疑います。

ただ、額の横ジワを持つ人は非常に多く、そのすべてが異常というわけではありません。それが本当に異常を示しているかどうかは、O-リングテストで調べる必要があります。

たとえば、元・米大統領のブッシュ・ジュニアは、晩餐会などでアルコールをたしなんだ翌日には、必ずといっていいほど額に横ジワが表れていました。これは2~3日で消え

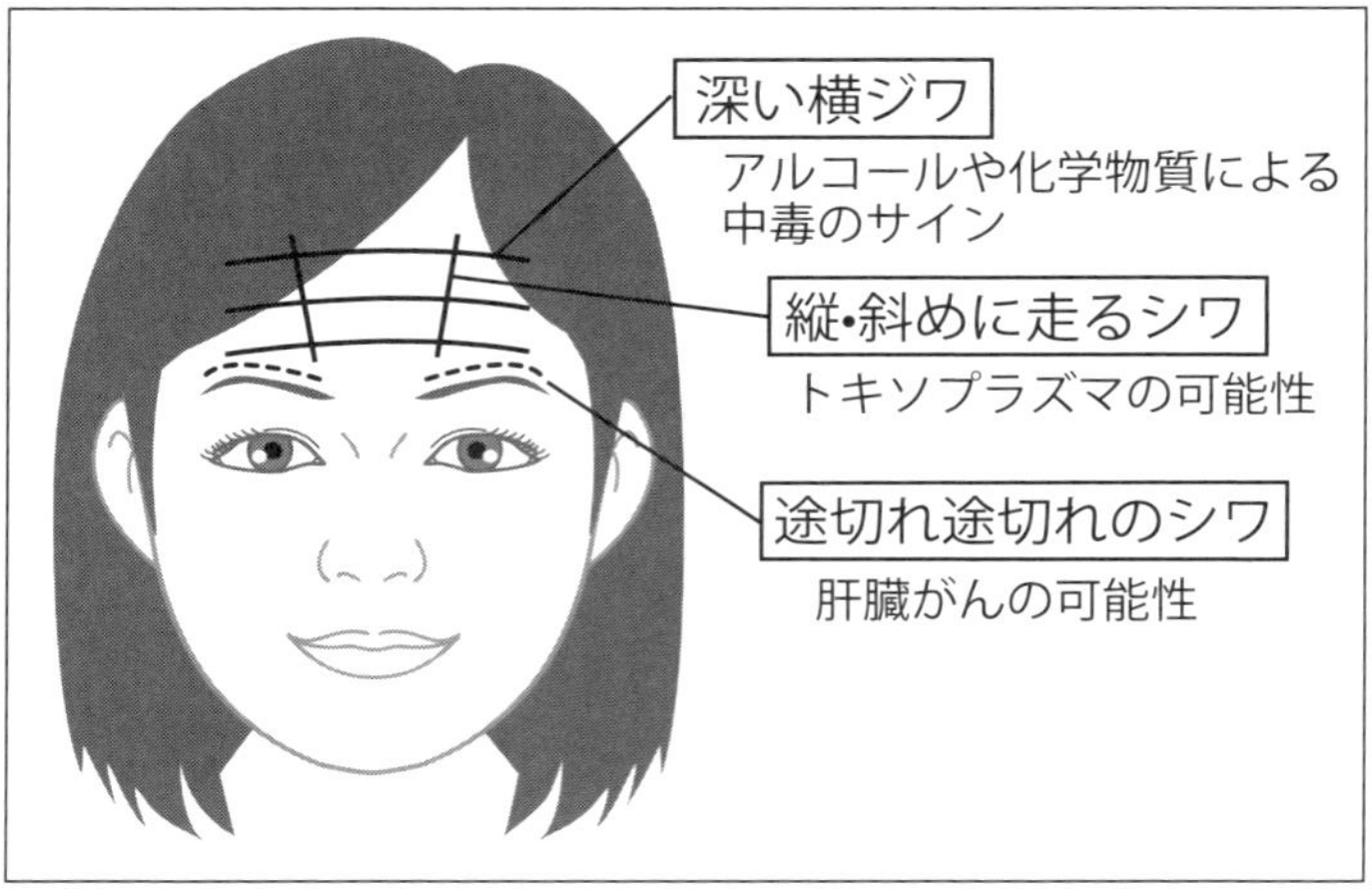

クラミジア・トラコマティス症、肝臓がんのサイン

ていたので、飲酒による一時的な肝臓の問題だといえるでしょう。

なお、額に縦に走るシワ、あるいは斜めに走るシワについては、トキソプラズマ症の可能性を疑います。ほとんどの人にとってトキソプラズマの感染は風邪程度の症状しかもたらしませんが、免疫力の低い人では重症化することもあるので注意が必要です。

肝臓の代表領域に関しては、ちょうどこの本を書いているときに亡くなった、ボクシングの元ヘビー級世界王者ジョー・フレージャーがわかりやすい例となりそうです。

私はこの人物のことを知らなかったのですが、肝臓がんで亡くなったことを新聞で読み、写真を見てみたところ右の眉の少し上に明確な肝臓がんのサインが出ていました。参考になると思いますので、彼の写真をよく見てみてください（次ページ）。

循環器系の代表領域——前頭部

頭髪の生え際の額側のラインは大動脈の代表領域であり、頭部側のラインは大静脈の代表領域となります。さらに、そこから頭頂へ向けて順に、右心房（しんぼう）、左心房、右心室、左心室の代表領域となります。

これは言葉では説明しづらいので、詳しくは図をよく見てください。

この部分は通常、毛髪があるため目視では観察しにくいのですが、中年期以降に前頭部からはげていくタイプの人には、心臓や血管など循環器系の問題が生じている可能性があるといえます。

なお、循環器系の代表領域は他にもあります。詳しくは40ページの図も参照してください。

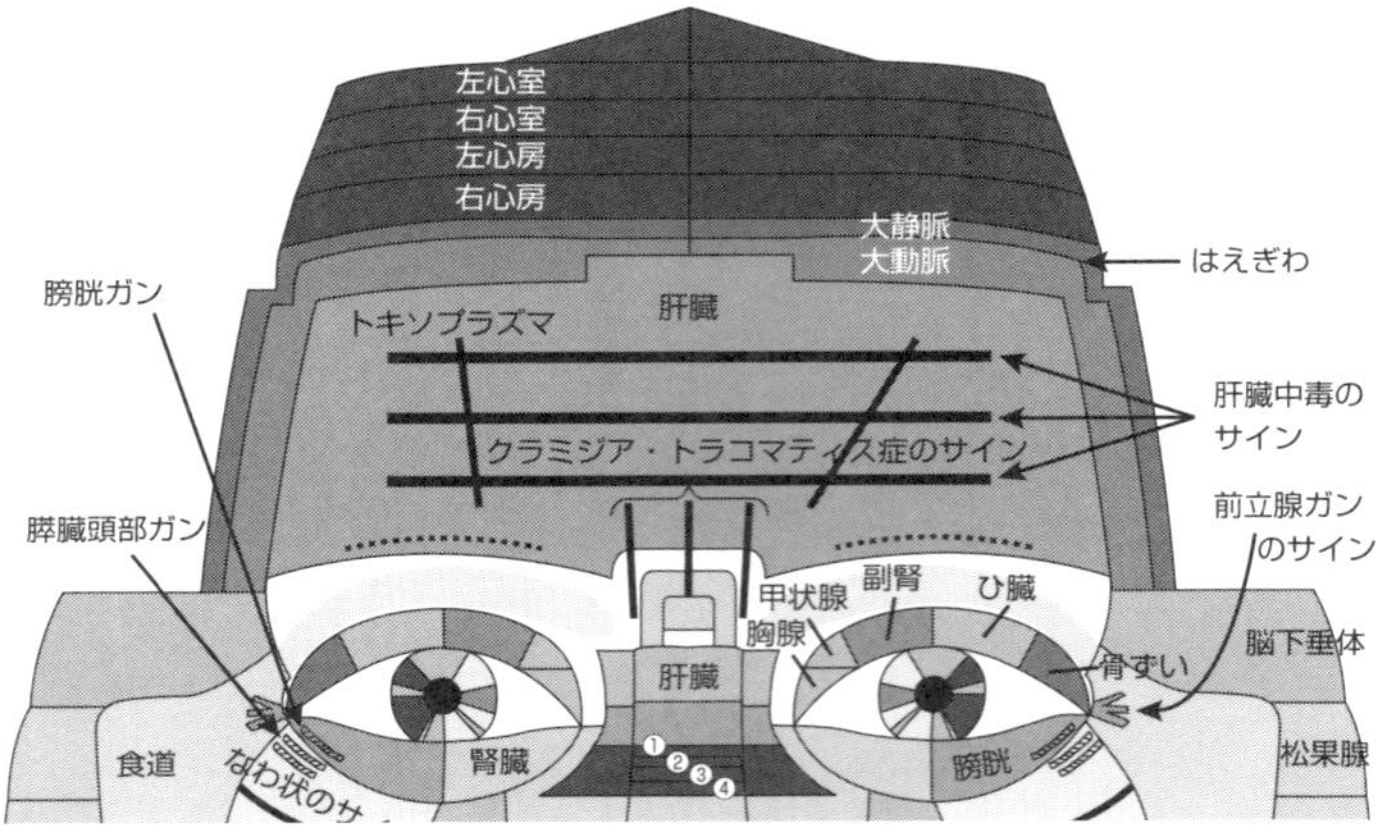

肝臓の代表領域

ジョー・フレージャー（サイト「Just Say That!」より）

肺・肝臓の代表領域——鼻の眉間下方

眉間の下で、目頭と目頭の間の少し上あたりが肺の代表領域です。肺の慢性疾患があるとここに深い横ジワが表れるので、肺の状態を知る目安となります。

ＡＢＣネットワークのニュース・アンカーを務めていたピーター・ジェニングスは、２００５年に肺がんで亡くなりましたが、その彼の眉間の下にはやはり深い横ジワが刻まれています。

肺がんを患っていることは亡くなる３ヶ月前にわかったそうですが、私はその５年前から彼の顔を見て肺がんの問題に気づいていました。

37ページの写真では両目の上部の間にある鼻の部分の肺の代表領域にあった深いミゾがよく見えませんが、ミゾのあったところをＯ－リングテストで調べると肺の腺がんと強い共鳴を起こし、がんのときに増える「Oncogene c-fos Ab-2」および「Integrin α5β1」の量をＯ－リングテストで調べると正常では０・５ng（ナノグラム）以下であるものが２２５ngと異常に増え、活発な肺がんであることを示しています。

その肺の代表領域のすぐ下は肝臓の代表領域であり、ここにミゾや変色があると肝臓の異常を疑います。

メガネをかけている人は、鼻に当たる部分が肝臓の代表領域に触れることになるため、その素材が体に合わないものである場合、肝臓を悪くする一因となります。

素材が体に合うかどうかはO-リングテストで調べますが、「体に合わない」と出る場合の原因が、O-リングテストで強いマイナスと出るプラスチックが鼻に当たっている場合や細菌やウイルスの影響であることも多く、その場合、メガネが顔に触れる部分をアルコール消毒することでその悪影響を避けることができます。

ところで、レオナルド・ダ・ヴィンチが描いた有名なモナリザの絵を見てみると、左目の目頭と鼻との間の肝臓の代表領域に黄色の固まりがあることに気づきます。

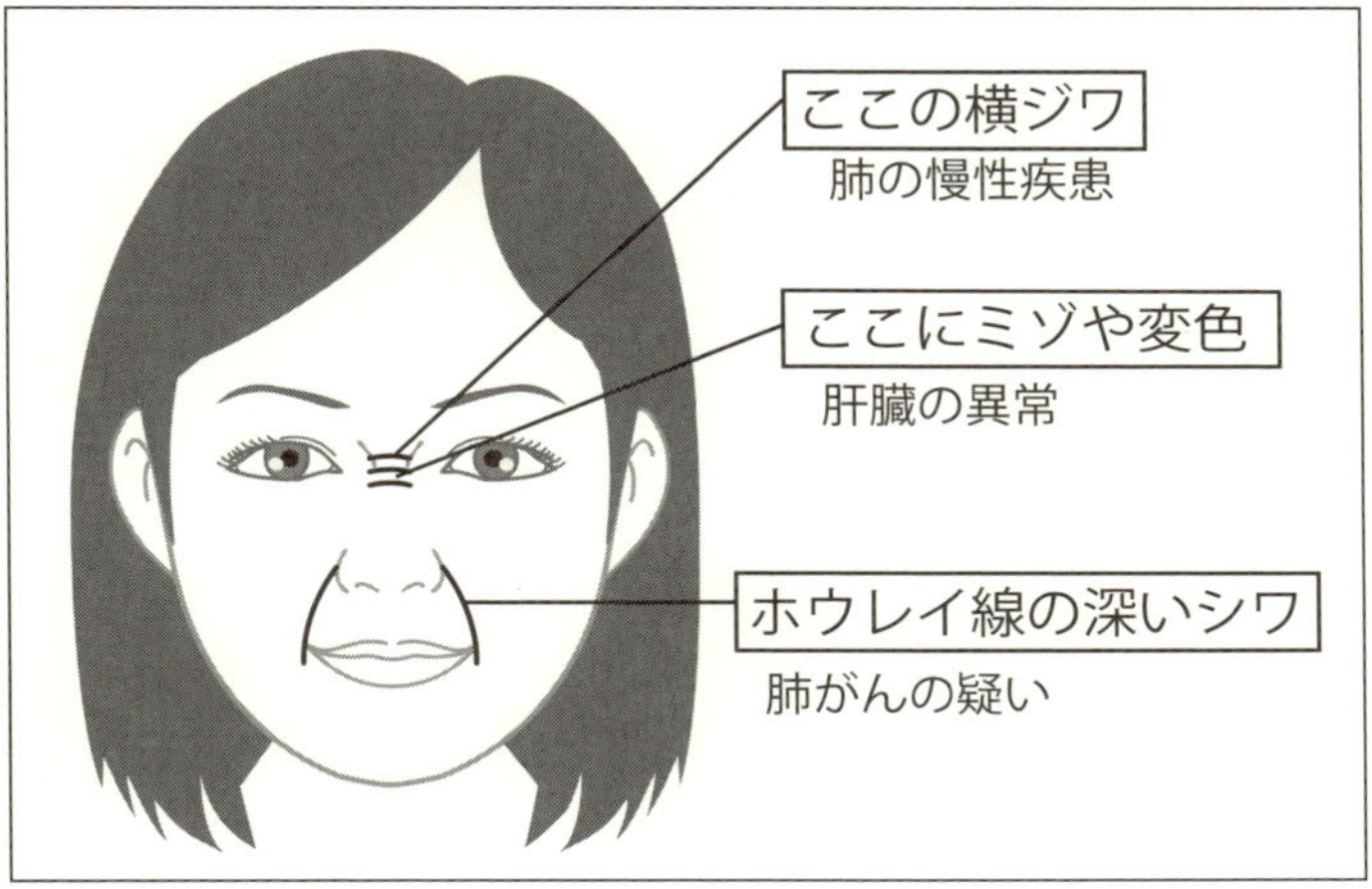

肺・肝臓の代表領域

ピーター・ジェニングス（サイト「DVD copy.com」より）

これは高脂血症の人によく見られ、目の周囲の眉毛以外のところに出てくるものです。この絵が実在のモデルを忠実に写し取ったものだとすれば、彼女（モナリザ）は高脂血症であり、肝臓にも何らかの問題を抱えていたはずです。

循環器系の代表領域——眉毛の眉間寄り

眉毛の眉間寄りの鼻の根元に一番近い部分には、左心室、右心室、左心房、右心房の代表領域があり、この部分の毛が薄い場合やなくなった場合には心臓や血管など循環器系の異常があることが多いといえます。

2011年に急逝した相撲の鳴戸親方（隆の里俊英）の顔写真を見ると、現役時代にはしっかりと生えていた眉毛が、親方になってからの写真では眉間寄りのところが薄くなっています。報道で伝えられるところでは、2000年頃から心臓疾患があり、心臓発作時に服用する薬を常備していたそうです。

このように、心臓血管系を代表する領域の毛が白くなったり、非常に薄くなったり、あるいはなくなったりしている場合に、そこをO－リングテストで調べると、強いマイナスの反応が見られます。

さらに、この領域で、心筋に異常のあるときに増える「心筋トロポニンI」の値を調べると、正常では1ナノグラムでO－リングテストの反応があるところ、10～16ナノグラムで反応することが多いのです。12ナノグラムを越えると心筋梗塞のリスクが高くなってきます。

なお、ここでいう「○ナノグラム」とは、その量の心筋トロポニンIのスライドでO－リングテストが最も強い電磁波現象を起こすという意味であり、正確には、その後に「BDORT Units」（O－リングテストによる値という意味）を併記しなければなりません。これについては、145ページも併せて参照してください。

循環器系に問題がある場合には、口角の横のところにもシワやミゾが表れますが、鳴戸親方の場合には太っているため、目に見える形では確認できません。

写真をよく見ると、眉毛の目尻寄りの食道の代表領域の毛も薄くなっていることから、何らかの食道の問題も抱えていたことがうかがえます（著作権の関係で写真を載せられなかったので、皆さんはネットの画像検索等でご確認ください）。

眉毛の眉間寄りの部分の毛が薄く、そこで高値の心筋トロポニンIが反応する人は大変

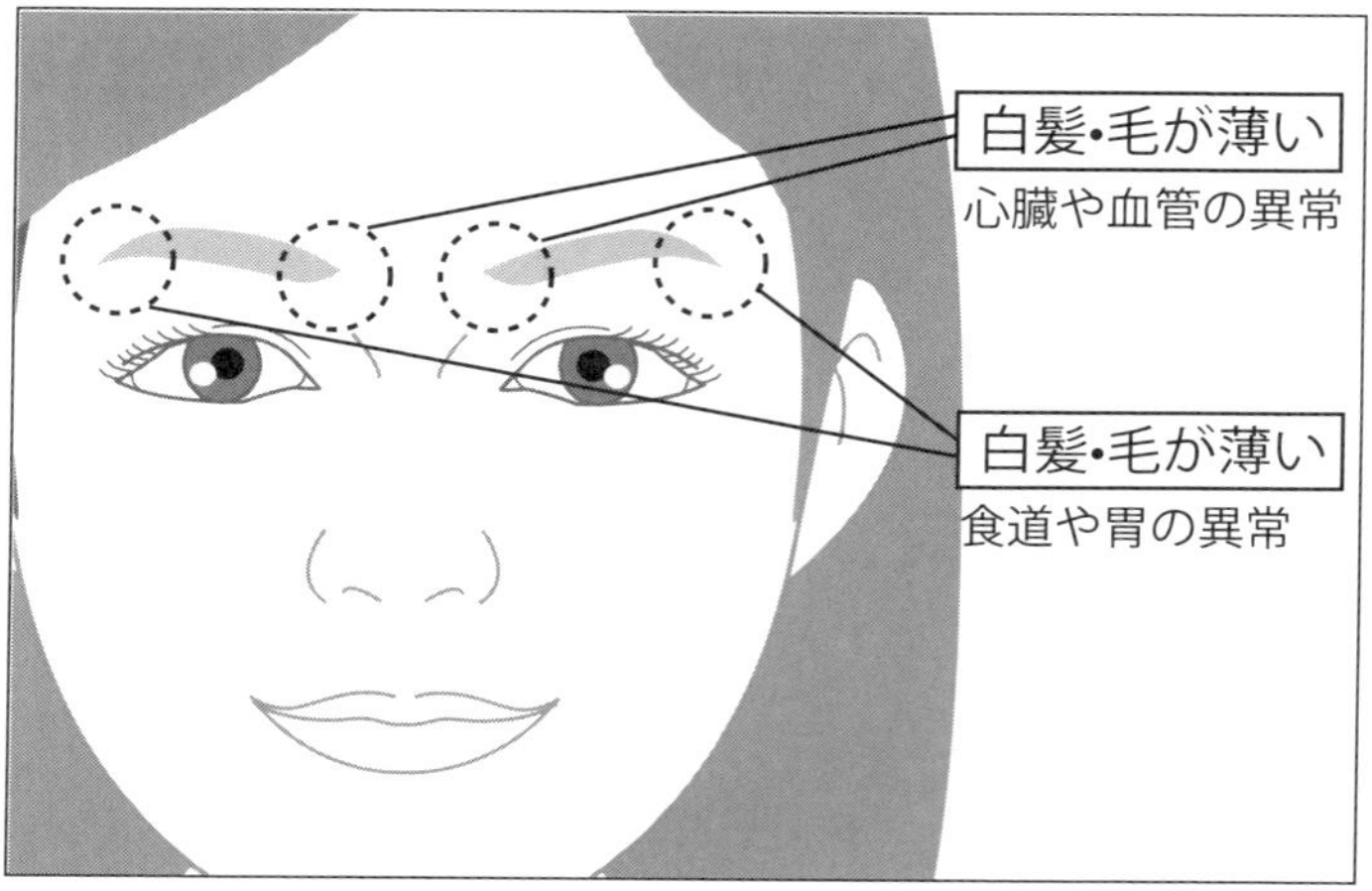

循環器系の代表領域

多く、2012年2月にホテルの浴槽で亡くなったホイットニー・ヒューストンもその一人でした。

以前の写真では普通だった眉毛も、亡くなる少し前に撮られた写真では眉間寄りの部分が薄くなっており、O-リングテストで調べると、心筋トロポニンIの量は16ナノグラムと、いつ心筋梗塞が起きてもおかしくない状態になっています。

遺体からはコカインが検出されたそうですから、おそらく、コカイン摂取が引き金となって心筋梗塞を招いたのでしょう。

なお、眉毛の目尻寄りの下は骨髄の代表領域となっており、彼女の写真にはそこにも強いマイナスの反応が見られます。O-

7

'Know' her is to love her

New York Post, Monday, February 13, 2012　nypost.com

DAN AQUILANTE

Wirelmage

THERE were other songs on Whitney Houston's debut album in 1985 than "How Will I Know." But it was that simple track, about true love, that made you fall head over heels for this woman.

In the signature video of the song that MTV seemed to play nonstop, Houston was presented as a breezy, innocent, all-American girl, incredibly

ホイットニー・ヒューストン（「ニューヨークポスト」2012年２月13日の記事より）

リングテストで調べると、非ホジキンリンパ腫の反応が見られますが、司法解剖ではそれは見過ごされているようです。

このように、眉毛の眉間寄りが薄くなった人が急死するケースはよく見られます。最近ではニューヨークのブルックリン橋の修理作業員が転落した事故があり、新聞に載った写真を見ると、やはり、眉毛のその部分が薄くなっていました。

O-リングテストで調べると、心筋トロポニンIの量は16ナノグラム。おそらく、作業中に心筋梗塞を起こして転落したのでしょう。左の上唇や鼻における心臓の代表領域にもマイナスの反応があり、心筋トロポニンIの量も同じでした。

さらに、彼の家族の写真を見ると、妻や子どもの眉毛も同じ部分が薄く、O－リングテストでマイナスの反応があります。そこで、彼らも今後、心臓に何らかの問題を起こす可能性があるといえるでしょう。

ほかに、フランスの学者がニューヨークのホテルで変死していた事件や、ニューヨークの小学校で給食がノドに詰まって男児が死亡した事件について、亡くなった人の顔写真を見ると、眉毛の眉間寄りの部分が薄くなっていることがわかります。いずれのケースでも、O－リングテストで調べると、心筋トロポニンIの量が高値を示すことから、これらの死因も心筋梗塞と考えていいでしょう。

給食がノドに詰まって死亡したとされる子どもの場合は、教師が14分間にわたり人工呼吸を行い、その後に救急車を呼んだそうですが、4分後に到着したときにはすでに死亡していたそうです。死因が窒息ではないとすれば、すぐに救急車を呼んでいれば助かっていたかもしれません。

2012年6月に亡くなられたヒゲの殿下として知られた寛仁親王の死因は食道がんと報じられましたが、読売新聞英文版に掲載された顔写真を調べると心臓血管系を代表している部分の眉毛は非常に薄く、O－リングテストではその部分の心筋トロポニンIが異常に高い16ngで、左上唇および鼻にある心臓代表領域がみんな強い異常で、トロポニンⅠも同じ16ngでした。

一般的に化学療法の副作用としてアルツハイマー病や心筋の異常が起きやすいので、続けて同じ有害な化学療法を行うといろいろなストレスのため、心筋梗塞で死ぬ人が多いのですが、その場合はがんで死んだと報告されているようです。

さらに殿下のあごにある横の深いミゾには前立腺がんの強い反応が出ていました。

このように、眉毛の眉間寄りの部分が薄かったり、白髪になっていたりする場合には、心臓に問題があると考えて、心臓に負担となるような行為を避けることが大切です。それが命を守るための最善の対策となります。

私たちの研究では、このように心臓の異常のある人ではMg（マグネシウム）とビタミンＡおよびビタミンＤが非常に低下している人が多いのです。もしこのような異常がある人の場合、最も簡単な応急処置はＯ‐リングテストでプラスのアサクサノリ３㎝×８㎝を約３枚食べることで、そうすればCardiac Troponin Iが正常値近くまで戻ることが多いです。

理想的なやり方としては医師に相談して治療の前後に心電図を撮ってもらい、成人の場合、アサクサノリを毎日2～3回と、ＥＰＡ（１８０㎎）とＤＨＡ（１２０㎎）の入ったオメガ3フィッシュオイルを一日3回とビタミンD400IUを1回分飲めばいいでしょう。

◯顔に表れる異常でわかる病気のマップ② 目から口の間のエリア

腎臓・膀胱の代表領域——目の下の袋（涙袋）

目の下の膨らみを涙袋（なみだぶくろ）、あるいは涙堂（るいどう）と呼びます。この部分の目頭寄り（鼻側）半分の領域が腎臓の代表領域で、目尻寄りの領域が膀胱（ぼうこう）の代表領域となります。

これらの領域が腫れると対応する臓器に機能的な問題が生じている可能性がありますが、単に疲労によっても腫れるため、急に腫れてきたらまずは休息をとり、それでも腫れが引かないようであれば腎臓や膀胱の問題を疑います。

この領域の腫れに対してO－リングテストを行ったときに「-1」「-2」の反応であれば、正常範囲とみなします。おそらくそれは疲労によるものであり一時的な機能障害でしょう。

また、この領域に深いシワやミゾが2～3本表れた場合は、その場所に応じて、腎臓が

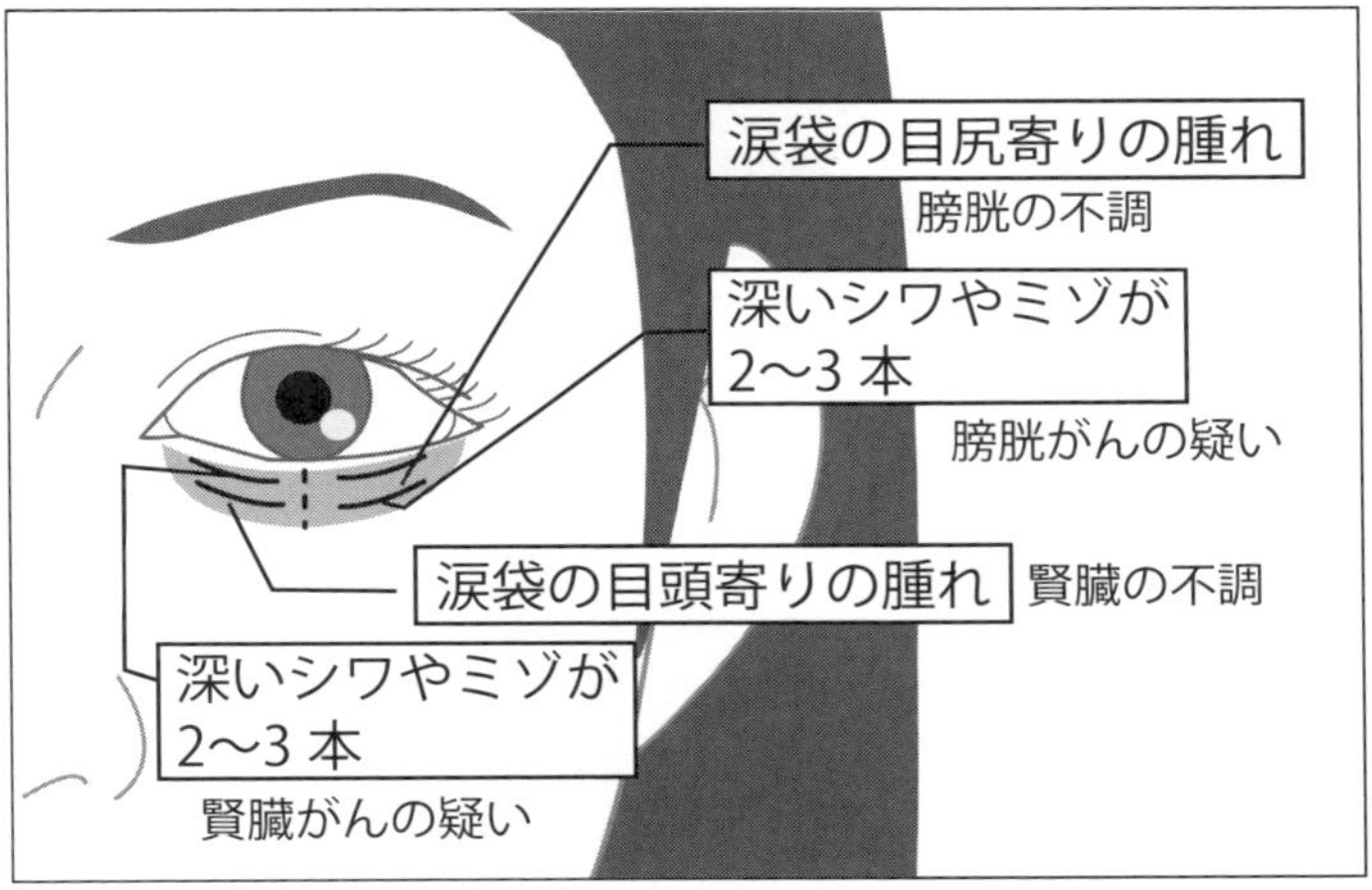

目の下にある腎臓・膀胱の代表領域

んか膀胱がんを疑います。加齢によるシワということもありますが、手遅れになってはいけないので、一度、検査を受けてみることをお勧めします。

膵臓の代表領域――頬骨の凸部外方

膵臓には頭部、体部、尾部という部位があり、そのそれぞれに対応する代表領域があります。頬骨（ほおぼね）の出っ張りの外方で、目に近い部分が膵臓頭部、その下が膵臓体部、さらにその下が膵臓尾部です。28ページや次ページ図を見ればおおよその位置がわかるでしょう。

この領域にゆるい弧を描くような深い横ジワが出ると膵臓がんを疑います。特に膵

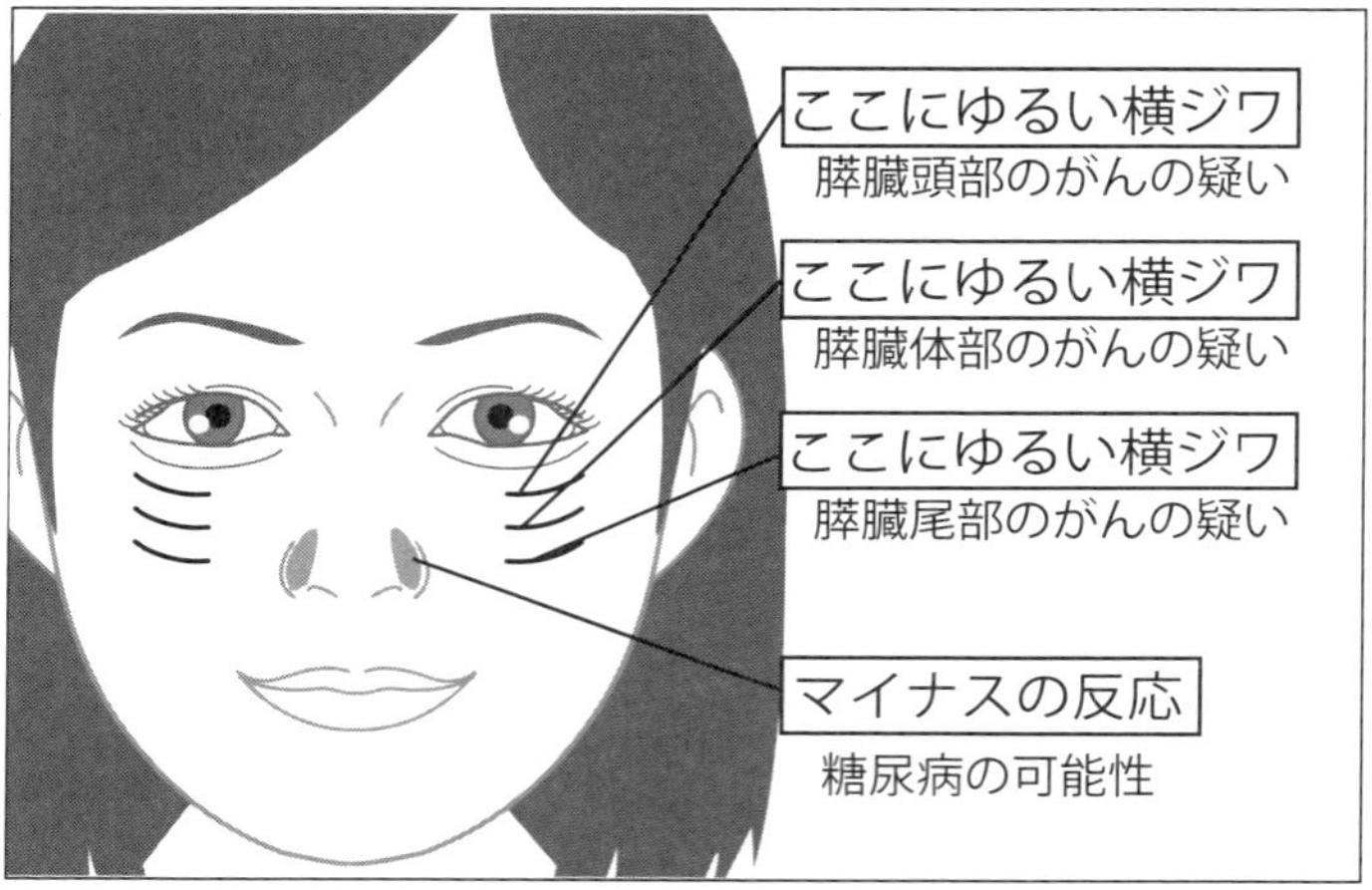

膵臓の頭部・体部・尾部の代表領域

臓頭部のがんは悪性度が非常に高い傾向があります。

これに関して私が思い出すのは、膵臓がんで崩御された昭和天皇のことです。

膵臓がんは発見が難しく、当初、昭和天皇の体調悪化の原因もなかなかわかりませんでした。ところが、胆管にがんが転移したことで黄疸（おうだん）が表れ、その時点で初めて主治医は膵臓がんの存在に気づきます。

その判断の遅れもあってか、昭和天皇は1989年、87歳で崩御されましたが、改めて写真を見てみると、その10年ほど前から膵臓の代表領域に深い横ジワがくっきりと刻まれているではありませんか。おそらく、この頃から膵臓ではがん細胞が着々と

スティーブ・ジョブス（サイト「www.foxbusiness.com」より）

増殖していたのでしょう。

また、2011年に膵臓がんで亡くなったアップル創業者のスティーブ・ジョブスも、顔写真を見ると、2007年の時点ですでに膵臓の代表領域に斑点が見られます。さらに、口角横の左心室の代表領域にも深いシワが見られることから、心臓にも何らかの問題が生じていたと思われます。

このように、通常の医学的検査ではわからないものであっても、顔にそのサインがはっきりと表れることがあるので、早期発見という意味で、この「顔に表れる異常でわかる病気のマップ」は大いに役に立つものだといえます。

なお、この頬骨の部分のほか、鼻孔（びこう）（鼻の穴）の周りの小鼻の部分も膵臓の代表領域となります。そこでは、鼻孔の下の外側寄りが頭部、その内側寄りと鼻孔と正中線の間が体部、それ以外の部分が尾部というように対応します（28ページ図参照）。

糖尿病があると、ランゲルハンス島というインスリンをつくっている内分泌組織が存在する膵臓の尾部に異常が生じるので、ここをO－リングテストでチェックすると必ず異常が発見されます。

ただし、小鼻には目に見える形で異常が表れにくいので、ここには特徴のある変化は出ません。しかし、O－リングテストでそこに強いマイナスの反応が出た場合には、糖尿病の可能性を疑います。

循環器系の代表領域——口角の外側・外上方

口角のすぐ横の部分と、その少し外側で上方の部分に、大動脈、左心室、右心室、左心房、右心房の代表領域があります。顔の右側のこの領域に異常が見られる場合には、右心室に問題があることが多く、その逆に、顔の左側のこの領域に異常が見られる場合には、左心室に問題があることが多いようです。

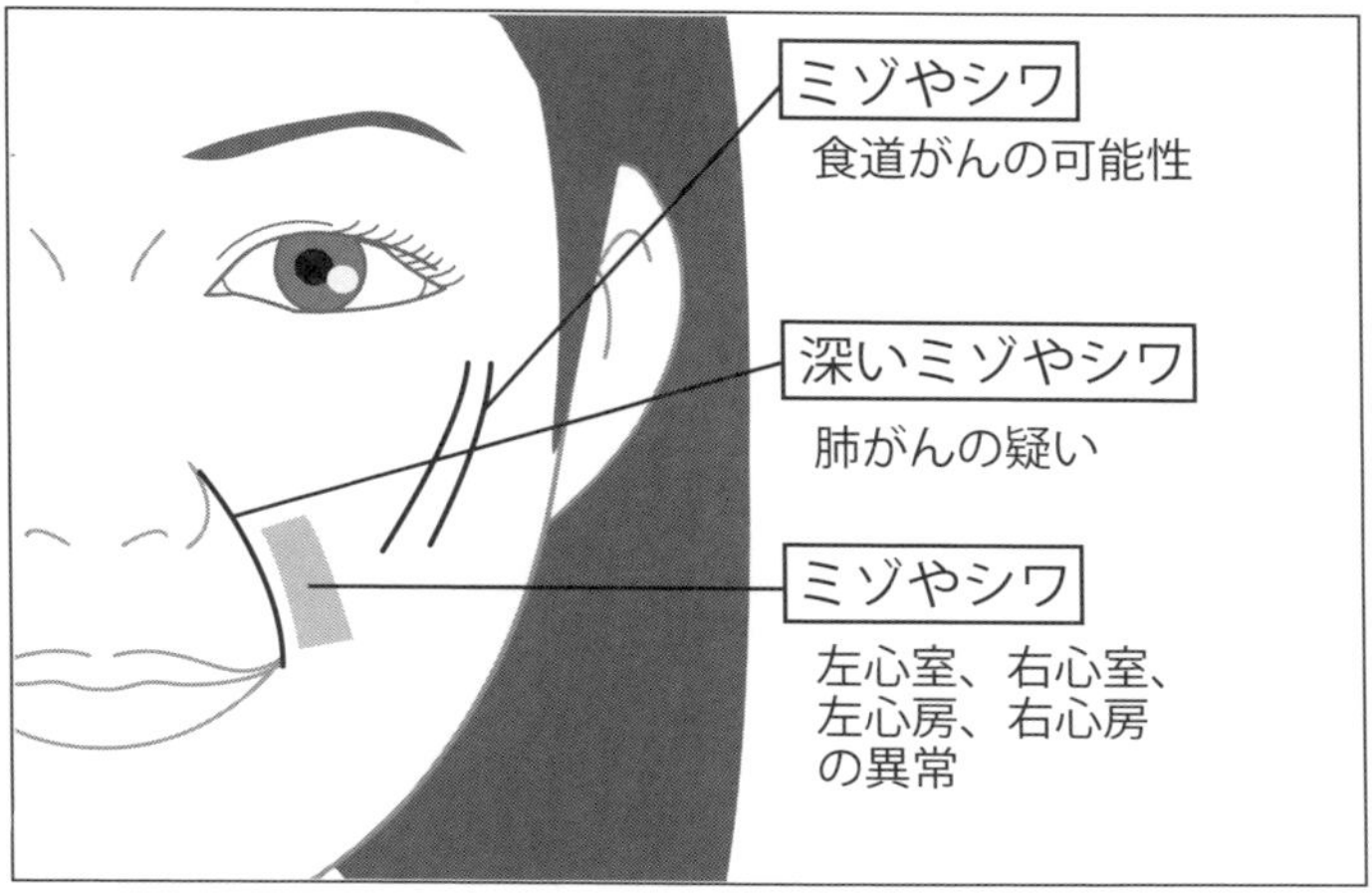

心臓の各部を代表しているミゾやシワ

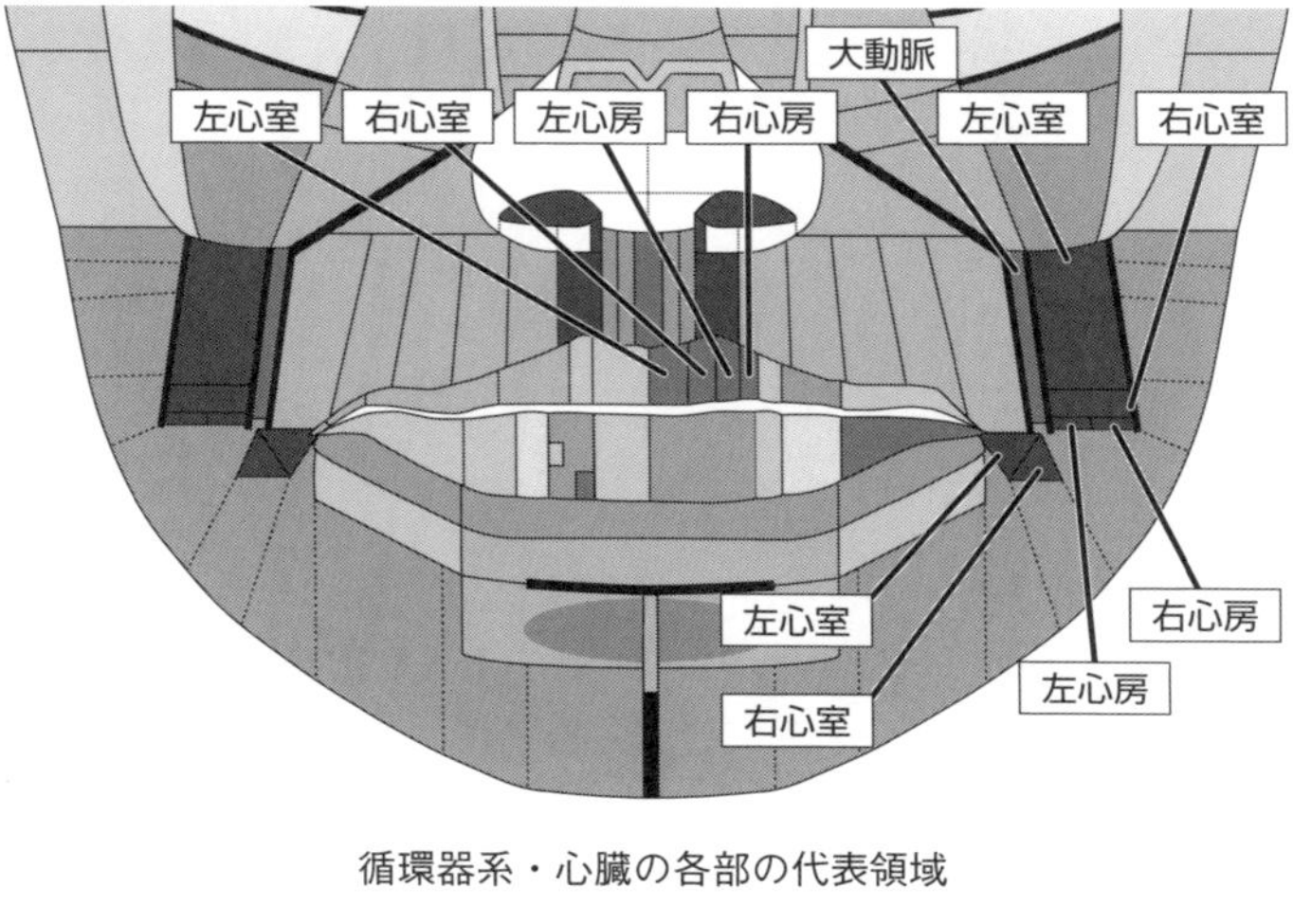

循環器系・心臓の各部の代表領域

細かく区切られていてわかりにくいと思いますので、おおよそこのあたりに異常が見られたら、心臓や血管など循環器系に問題を生じている可能性があると考えればいいでしょう。

特に、縦に走る深いミゾやシワがある場合には、大動脈や冠状動脈、心臓の病気を疑います。

２００８年の米大統領選挙における副大統領候補サラ・ペイリンが『ＴＩＭＥ』誌の表紙を飾ったときの写真を見ると、これらの領域に深いシワがあることがわかります。Ｏ－リングテストでチェックすると異常が確認されることから、彼女は何らかの循環器系の問題を抱えているといえるでしょう。

食道の代表領域――目尻外方～頬骨外方

目尻の外側から頬骨の外側にかけては食道の代表領域となり、ここに深いシワやミゾがある場合には食道がんを疑います。

２００６年に亡くなった元テキサス州知事のアン・リチャーズは、死後に初めて死因が食道がんであることが明かされましたが、亡くなる数年前の写真を見ると、食道の代表領

サラ・ペイリン（『TIME』表紙より）

アン・リチャーズ（サイト「msnbc.com」より）

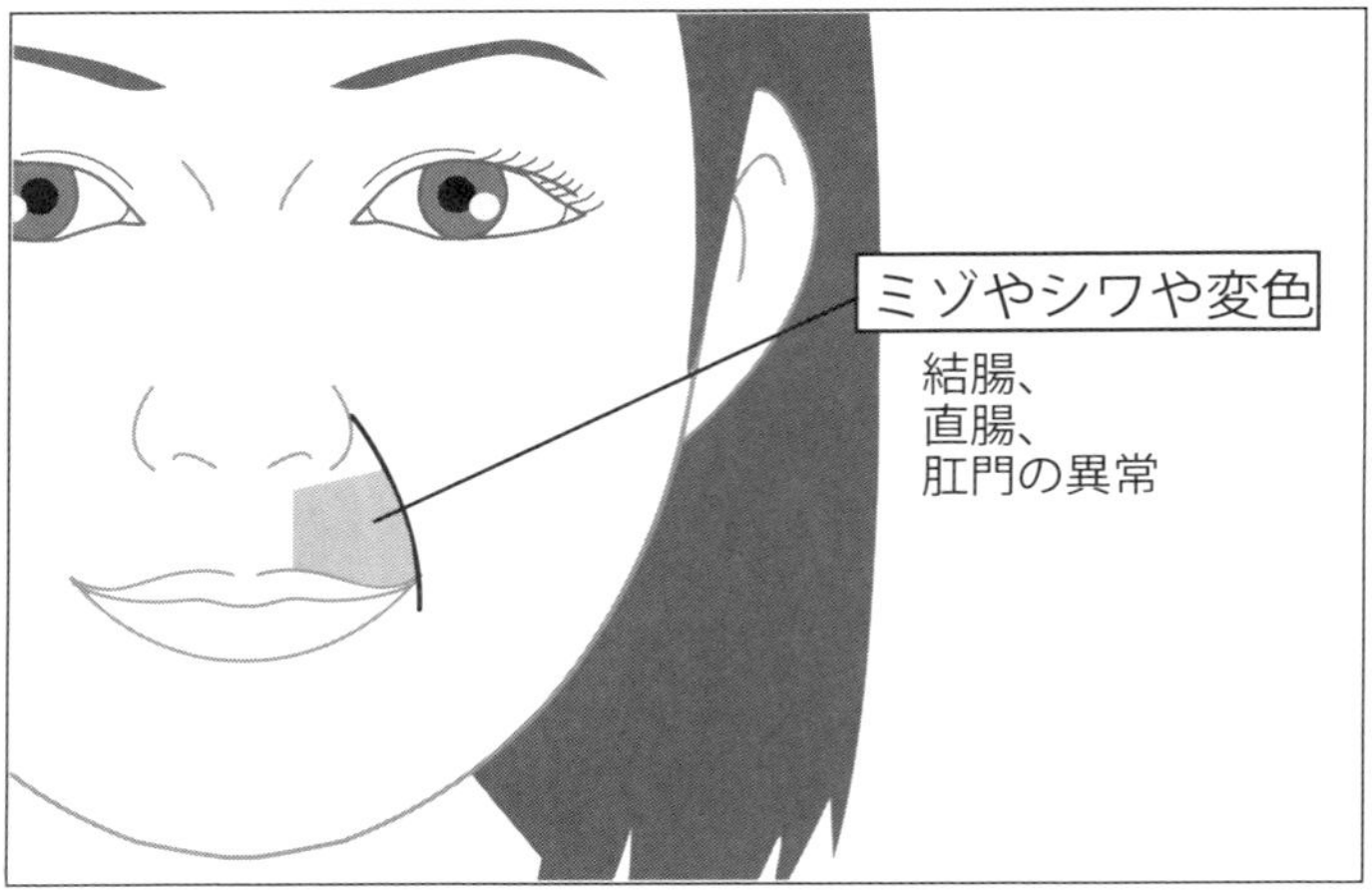

大腸の代表領域

域に深いシワがあることがよくわかります。「顔に表れる異常でわかる病気のマップ」を知る人であれば、この人が食道がんを患っている可能性が高いことがすぐにわかると思います。

大腸の代表領域——上唇上方

上唇の上、男性でいうと口ひげの生えるあたりで、顔の正中線周辺で膀胱、睾丸および前立腺等を代表している中心部を除いた部分が大腸の代表領域となります。

内側から外側へ順に、上行（じょうこう）結腸、横行結腸、下行結腸、S字結腸、直腸と肛門……と並びますが、一般の方はひとまとめに、このあたりを大腸の代表領域として覚えておくといいでしょう。

余談ですが、嘘の発言をした人はその直後の約15秒間、上唇の上部で鼻から下にある泌尿生殖器およびその左右にある大腸の代表領域がO－リングテストでマイナスの反応を示します。また、そのときにこの部分のアセチルコリン量をO－リングテストでチェックすると、通常よりも低い値を示します。

この現象の背景にあるメカニズムはよくわかりませんが、心の状態が即座に体に影響を与える一例であることは確かです。

私は日本やアメリカの議会で答弁を行っている最中の政治家を、何人かこのやり方でチェックしたことがありますが、真実を述べている人はそう多くはありませんでした。

今年2012年の春、ロシアのプーチンが大統領選挙の前に行った演説の中で、テレビの前で自分は国民の自由とデモクラシーを守ると言ったときに上唇の上の部分が全部O－リングテストでマイナスになり、それが15秒間も続きました。

乳房の代表領域――頬骨上

鼻翼（びよく）から頬骨の最も高くなっているあたりを横になぞると、そこが乳房の代表領域のお

乳房・卵巣・精巣の代表領域

およその位置となります。なお、ここは肺の代表領域や胃の代表領域とも重なります。

この領域に深いシワやミゾが表れると乳がんを疑いますが、実際に乳がんのような異常があっても、目視できる印が表れないことも多いといえます。

乳がんで記憶に残るのは、２００４年大統領選における民主党の米副大統領候補であり、２００８年にも大統領候補として出馬宣言したジョン・エドワーズ上院議員の妻、エリザベスのケースです。

彼女は、転倒による肋骨骨折で検査を受けたときに乳がんが見つかったのですが、顔写真では乳房の代表領域に異常はないように見えます。しかし、Ｏ－リングテストでそこをチェックすると、やはり強いマイナスの反応およびがんの反応がありました。

このように、顔に表れる異常には、目で見てわかるものと、そうでないものがありますから、シワやシミがないからといって、それだけで判断しないようにしてください。

胃の代表領域――頬骨外下方

頬骨の外側で下方、ちょうど膵臓の代表領域（46ページ）の下あたりが、胃の代表領域となります。ここに異常があると胃に問題が生じている可能性が高く、特に深いシワやミゾがあると胃がんを疑います。

ニューヨーク市長のマイケル・ブルームバーグの顔写真を見ると、胃の代表領域にいくつものシワが刻まれており、ここから胃がんの可能性が読み取れます。さらに食道がんの代表領域にも深いシワが刻まれており、食道がんの可能性もあります。正式にそう発表されたわけではありませんが、胃に何らかの問題を抱えていることは間違いないでしょう。

さらにその上部の膵臓の代表領域かあるいは食道の代表領域とも考えられるところに深いシワが現れていますが、がんの組織で共鳴の有無を調べると、膵臓がんとは反応がなく、食道の扁平上皮がんとは強い電磁波共鳴反応が起こりました。さらにがんのときに増える

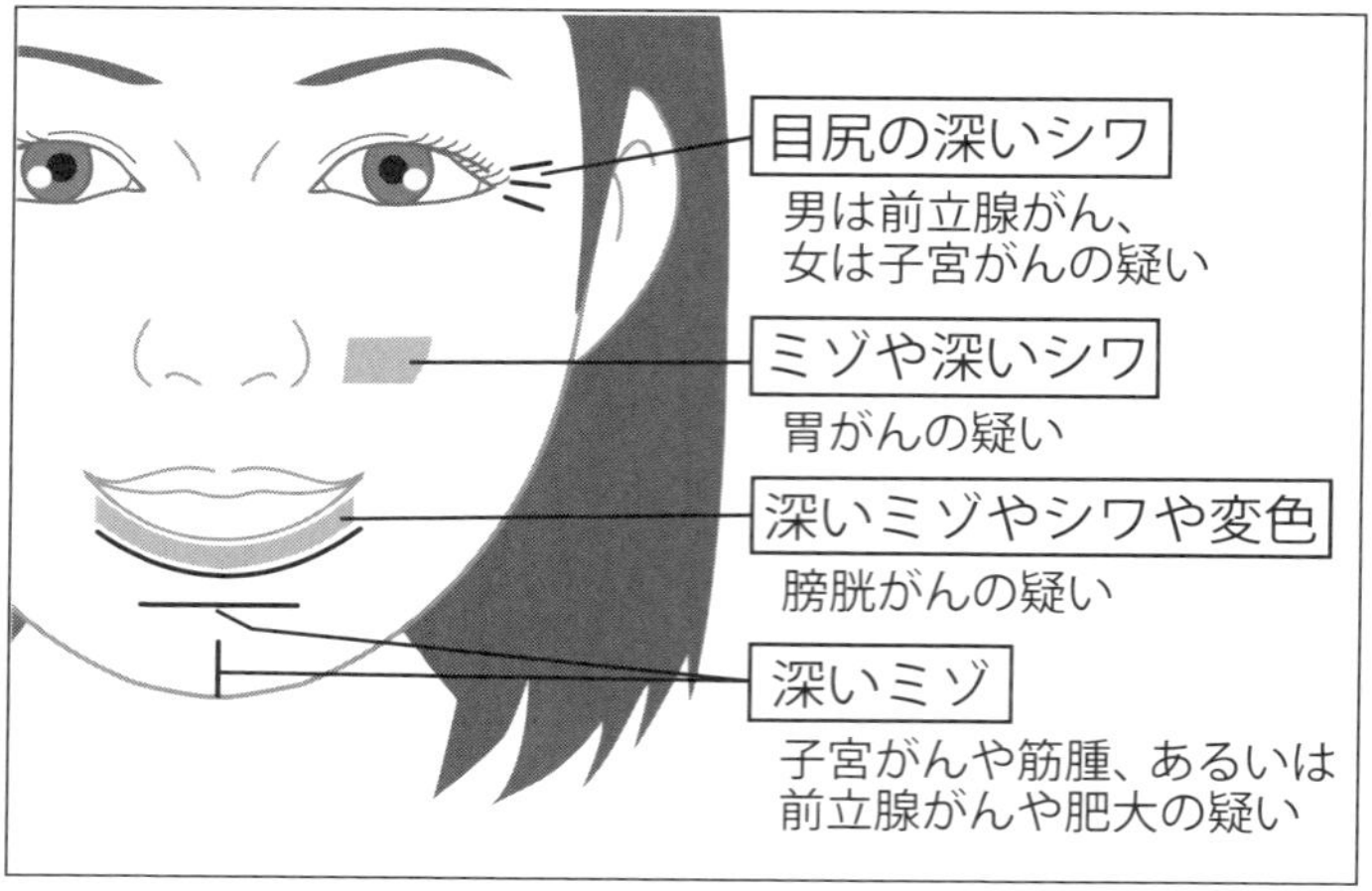

胃、膀胱、前立腺（子宮）の代表領域

「Oncogene c-fos Ab-2」や「Integrin α5β1」が120ngに増えているので、食道の扁平上皮がんであることは間違いないでしょう。

また、胃の代表領域の深いシワがあることから、胃の腺がんと電磁波共鳴を起こしているかどうか調べたところ、「Oncogene c-fos Ab-2」と「Integrin α5β1」の2つの値は同じ25ngでした。

彼の下唇とあごとの間の見える深い横のミゾは男性では前立腺がん（女性なら子宮がん）の可能性が高いので、O-リングテストで前立腺がんとの共鳴があるかどうか調べると、左側は正常ですが右側は前立腺がんのごく初期の反応が出ています。しかし

「Oncogene c-fos Ab-2」や「Integrin $\alpha 5\beta 1$」の2つの値は30 ngなので、心配する必要はありません。

前立腺がんのサイン――目尻の深いシワ

目尻に深いシワがある場合、男性では前立腺がんを、女性では子宮がんを疑います。

2010年に前立腺がんで亡くなった俳優のデニス・ホッパーの顔写真を見ると、やはり目尻に深いシワがあります。目尻にある深いミゾのところで前立腺がんのスライドと強く共鳴するだけでなく、がんのときに増える「Oncogene c-fos Ab-2」や「Integrin $\alpha 5\beta 1$」をO－リングテストで調べると300ngまで異常に増えていました。

また、いったんは喉頭がんを宣告され、その後回復宣言をした俳優のマイケル・ダグラスの顔にも同様のシワがあります。前述のがんのときに増える2つのパラメーターを比べると、同じく300ngまで異常に増えていました。彼の涙袋には膀胱がんのサインも見られ、全身の写真を使ってO－リングテストでチェックすると、やはり、前立腺と膀胱にがんの反応が見られます。そこで、がんの病巣はのどだけではないことがわかります。

デニス・ホッパー

肺がんのサイン――ホウレイ線

小鼻の上から頬骨の下端に沿って斜めに下りるシワをホウレイ線と呼びますが、このシワが大変深い場合は肺がんを疑います（37ページの図参照）。ただし、この部分のシワは加齢によっても深くなりやすいので、正確な判断にはO－リングテストを行う必要があります。

◯顔に表れる異常でわかる病気のマップ③　口より下のエリア

子宮・前立腺の代表領域——下唇の下の深い横ミゾ　顎先の深いミゾ

下唇の少し下に、横に走る深いミゾがある場合、子宮筋腫や前立腺肥大などの問題が生じている可能性があります。ミゾがとても深い場合は、がんの疑いを考えてください（56ページ参照）。

若いときからミゾが入っている場合には問題は少ないといえますが、O-リングテストで正中線の左右をそれぞれ調べるべきでしょう。異常がある場合、左右どちらかだけにその反応が見られることが多いといえます。

顎先で縦に入った深いミゾについても、子宮か前立腺の問題を示すものと考えて、同様の見方で判断します。

卵巣・睾丸の代表領域——下唇と顎先の中間

下唇と顎先の中間あたりが卵巣と睾丸の代表領域です。ここに何らかの異常が見られる場合、女性の場合は卵巣に、男性の場合は睾丸に問題が生じている可能性があります。

この部分が横長の楕円状に膨らんでいる場合は、卵巣がん、あるいは精巣（睾丸）がんを疑ってください（54ページ図参照）。

膀胱の代表領域——下唇直下

下唇のすぐ下（約6～10㎜）は膀胱の代表領域となります。ここに異常が見られると膀胱に何らかの問題が生じている可能性が高く、特に深いシワやミゾがある場合は膀胱がんを疑います（56ページ図参照）。

ゼネラル・エレクトリック社の元会長であるジャック・ウェルチの顔写真を見るとその領域に若干の変色があり、O－リングテストで調べると異常が見つかります。おそらく、膀胱に何らかの異常があるはずです。

目と唇の臓器代表領域について

目と唇に関しては、そのそれぞれにほとんどの臓器がマッピングされます。

目については、眼底と虹彩(こうさい)にそれぞれ臓器と対応する代表領域があり、虹彩では、そこに表れた変色や穴のような印から病気を早期発見することが可能です。

一方、唇に関しては、上唇と下唇を細かく区画分けした領域が各臓器に対応しています。これをもとにして、唇の変色箇所や唇表面の荒れた箇所や割れた箇所などから病気を見つけることができます。心臓の代表領域のある左の上唇の顔の中心に近いところでは心臓に強い異常があっても肉眼では変化が見えないことが多いのですが、O‐リングテストで調べると強いマイナスの反応が簡単に見つかり、心臓の代表領域のあるところの中で異常な箇所だけにCardiac Troponin Iの量が異常に高くなっていることがわかります。

目と唇に関しては各臓器の代表領域が大変小さく、一般の方には判断が難しいので、ここでは参考図を掲載するだけにとどめます。

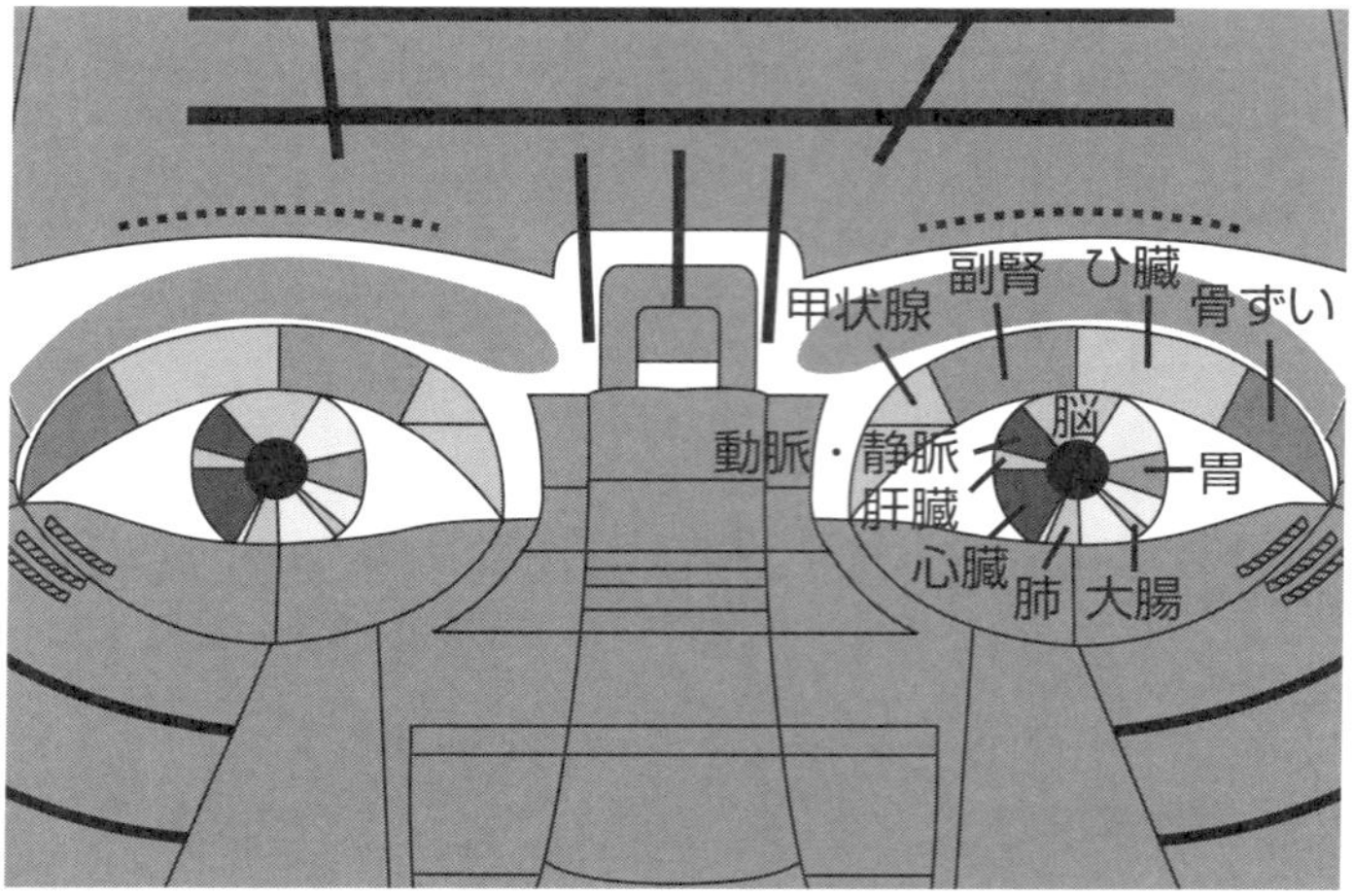

虹彩・上まぶたの上の皮膚の部分にある臓器代表領域

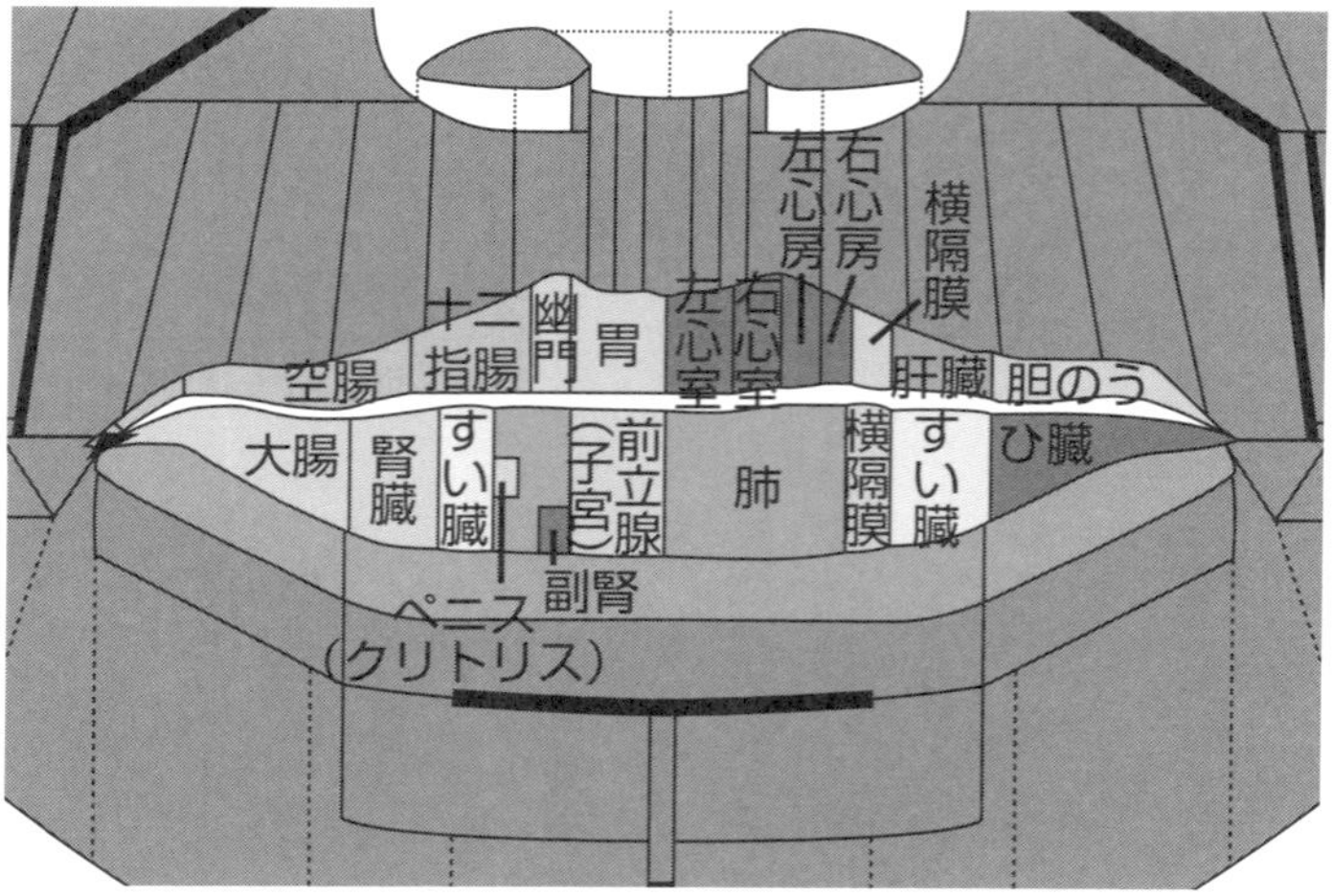

唇の臓器代表領域

◯「顔に表れる異常でわかる病気のマップ」で健康になる

顔と臓器は相互に影響を及ぼし合う関係にあり、臓器の状態が顔に反映されるように、顔への何らかの働きかけを臓器に反映させることができます。つまり、**「顔に表れる異常でわかる病気のマップ」を用いて、臓器に対して良い働きかけをすることができる**のです。

その**最も簡単な方法は顔へのマッサージ**です。

顔の臓器代表領域をマッサージすると、対応する臓器への血液循環が改善してその機能を高めます。それは病気の予防になるだけでなく、すでに病気にかかった人にとっても、健康を回復する一助となるでしょう。

マッサージの方法は通常よく行われるような、さすったり揉んだりするやり方でもいいのですが、私は繰り返し指で軽くつまむ方法を勧めています。こうすると、病気のある臓器と対応する領域では痛みを感じることから、目視できる異常がない場合にも、異常を探り当てられるからです。

特に病気がないのに痛い場所があるようなら、それはその領域と対応する臓器の機能が低下しており、そのままでいくと病気になることを意味します。しかし、この「つまむマッサージ」を励行(れいこう)すればその痛みはなくなっていき、病気を予防できるでしょう。

深いシワやミゾのある領域、あるいは変色のある領域は特に重点的に行うべきですが、機能が改善してきても一度できてしまったシワやミゾはなかなか消えないので、美容的な効果はあまり期待しないでください。

顔のマッサージをするときには、爪を短く切って皮膚を傷つけないように、また、力を入れすぎないように注意しましょう。手も石鹸などできれいに洗っておきます。1回に5～10分を目安にして、1日に3～6回やればよいです。

特に、**健康維持と若返りを図りたい人に勧めたいのが、すべての臓器が代表されている眉毛全体と眉毛の下と上まぶたの上の皮膚の部分のマッサージ**です。

上まぶたの上の皮膚と眉毛の下の皮膚のある場所には、血液を造る骨髄、血液循環に関係する脾臓、副腎皮質、ホルモン、特にDHEAを作り出す副腎と、甲状腺、免疫系に関係する胸腺など、重要な臓器と対応する領域が並んでいることを、今世紀になって初めて私が発見しました。

そこで、そこをくまなく30～60回指でつまんで刺激すると、それらの機能が高まって健康維持と若返りにつながります。これを日に2～3回繰り返すと60～70歳以上で副腎の機能が低下して10 ng（BDORT Units）前後に下がっている人でも、ＤＨＥＡの量が一時１３０ng前後に増えた状態が4～8時間続くことが多いのです。20～25歳の最も活発で健康的な人で、副腎皮質で作られるＤＨＥＡの量は１３０～１４０ngですが、この目の上と眉毛の下の副腎の代表領域を30～60回指でつまんで刺激するだけで、若い健康な人のレベルの数値が４～８時間も続くのです。

ただし、ここは皮膚が薄く、すぐ下に眼球もあるので、くれぐれも強い力で押したり、爪で皮膚を傷つけ、細菌やウイルスに感染したりしないよう、手をまず洗った後に細心の注意をはらって刺激するようにしてください。

特に重要なのが、上まぶたの上にある皮膚の上で目じり寄りにある骨髄の代表領域です。その領域の中のさらに小さな領域をＯ－リングテストでチェックしたときに異常があると、その人は骨髄に関係したがん（白血病、ホジキンリンパ腫、非ホジキンリンパ腫、多発性骨髄腫）を持っていることになります。しかし、通常の医学的検査ではこれを早期に正しく発見できないために、ほかの病気として誤診され、治療が遅れて亡くなってしまう場合も多いのです。

なお、がん全体の20パーセントほどが骨髄のがんとされています。

驚いたのは、Oーリングテストのセミナーに参加した医師について、この部分のチェックを行ったところ、50パーセントほどの人が初期の骨髄のがんであるとわかったことです。それほど、この種のがんを潜在させている人は多いということでしょう。

そういった理由もあって上まぶたの上の皮膚のマッサージは人の健康にとって非常に有益に働きます。

さて本章の最後に、女性の方が気になると思われる「化粧」についても触れておきます。

眉毛全体と眉毛の下、上まぶたの上の皮膚の部分を指でつまんでマッサージすると、健康維持と若返りに効果があります。

体にとってマイナスに働く物質を皮膚につけることはダメージとなるため、化粧品にそのようなマイナスの物質が含まれる場合には、顔の臓器代表領域を介して臓器へダメージを与えることになります。信じられないかもしれませんが、それが原因となって病気を招くこともありうるでしょう。

これまで私が調べたところでは、一般に流通している化粧品の半数以上は体にとってマイナスの働きをするようです。口紅だけに限ると、実にその70パーセントほどはマイナスの反応を示します。

では、どのような化粧品なら問題にならないのでしょうか？

合成保存料などが添加されていない化粧品であってもマイナスに働くことがあり、また、ある人にはいいものが別の人にはダメといった個人差もあるため、それを一概に言うことはできません。そこで面倒ではありますが、個々の化粧品について、その人に合うかどうかを知るためにはＯ－リングテストで調べる必要があります。

その調べ方については第5章にまとめたので参考にしてみてください。

なお、最近では、猛毒であるボツリヌス毒を顔に注射してシワを取る美容外科の手法が盛んに行われていますが、これは注射した箇所に対応する臓器に悪影響を及ぼす可能性があるので、私としてはお勧めできません。

女性が美を求める気持ちはよくわかりますが、健康を犠牲にしてしまっては本末転倒ですから、改めてそこのところをよく考えてみてください。この「顔に表れる異常でわかる病気のマップ」とO－リングテストは、女性が健康と美を両立させるときの手助けとなってくれるはずです。

このような臓器代表領域は、顔だけでなく手にも存在しています。

次章では、手の臓器代表領域をまとめた「手の刺激で良くなる病気のマップ」と、それを利用して医薬品を効果的に効かせる方法についてご紹介しましょう。

第2章　手の刺激で良くなる病気のマップ

ほとんどの臓器は手のひらにマッピングできる

臓器に対応する臓器代表領域を顔にマッピングするのと同じ要領で、手のひらにも同じことができます。つまり、手の各部分もまた臓器と対応しているのです。

手の臓器代表領域をＯ－リングテストで調べたものが、ここでご紹介する「手の刺激で良くなる病気のマップ」です。

72～73ページの図を見るとわかるように各領域はとても狭いため、これらを調べるときには直径1ミリほどの真鍮(しんちゅう)の棒で先端を丸くしたものが必要です。その棒で実際に手の各部に触れ、Ｏ－リングテストでどの臓器の標本スライドと共鳴反応を起こすかをチェックしていき、膨大な時間をかけてこのマップを作成しました。

なお、Ｏ－リングテストによって、手のひらで全身を調べるときにも同様の金属棒を用います。

それぞれの代表領域の境目は細い実線で示し、手のひらの深いシワは太い実線で示しているので、それを目安にして位置を確認してみてください。点線は1つの臓器の中でいくつかの部位に分かれる場合にそれを図示しています。

なお、図には描かれていませんが、後頭部は中指の爪に、延髄（えんずい）部はその少し下に対応しています。

このマップを用いると、顔と同じようにほとんどの臓器を手のひらで診断することができますが、顔と違って見た目には異常が表れないことが多いため、**指先で皮膚をつまんだときの痛みやO－リングテストで異常を判断するしかありません。**特に病気を正確に診断するには、必ずO－リングテストを用いるべきです。

たとえば、ある人が下痢をしている場合、下降結腸から肛門までの代表領域においてO－リングテストで「－4」～「－7」くらいになり、同じ場所をつまむと圧痛があります。

また、2～3日ほど便秘していると、大腸の代表領域すべてがO－リングテストでマイナスの反応を示し、便が出た後にはその大部分がプラスの反応に変わります。

さらに、大腸がんのある場合には、大腸の代表領域は常にマイナスの反応が表れ、つまむと圧痛を確認できます。

このように、代表領域の異常が深刻な病気を示す場合と、そうでない場合とがあるので、正確な判断には必ずO－リングテストを行う必要があります。

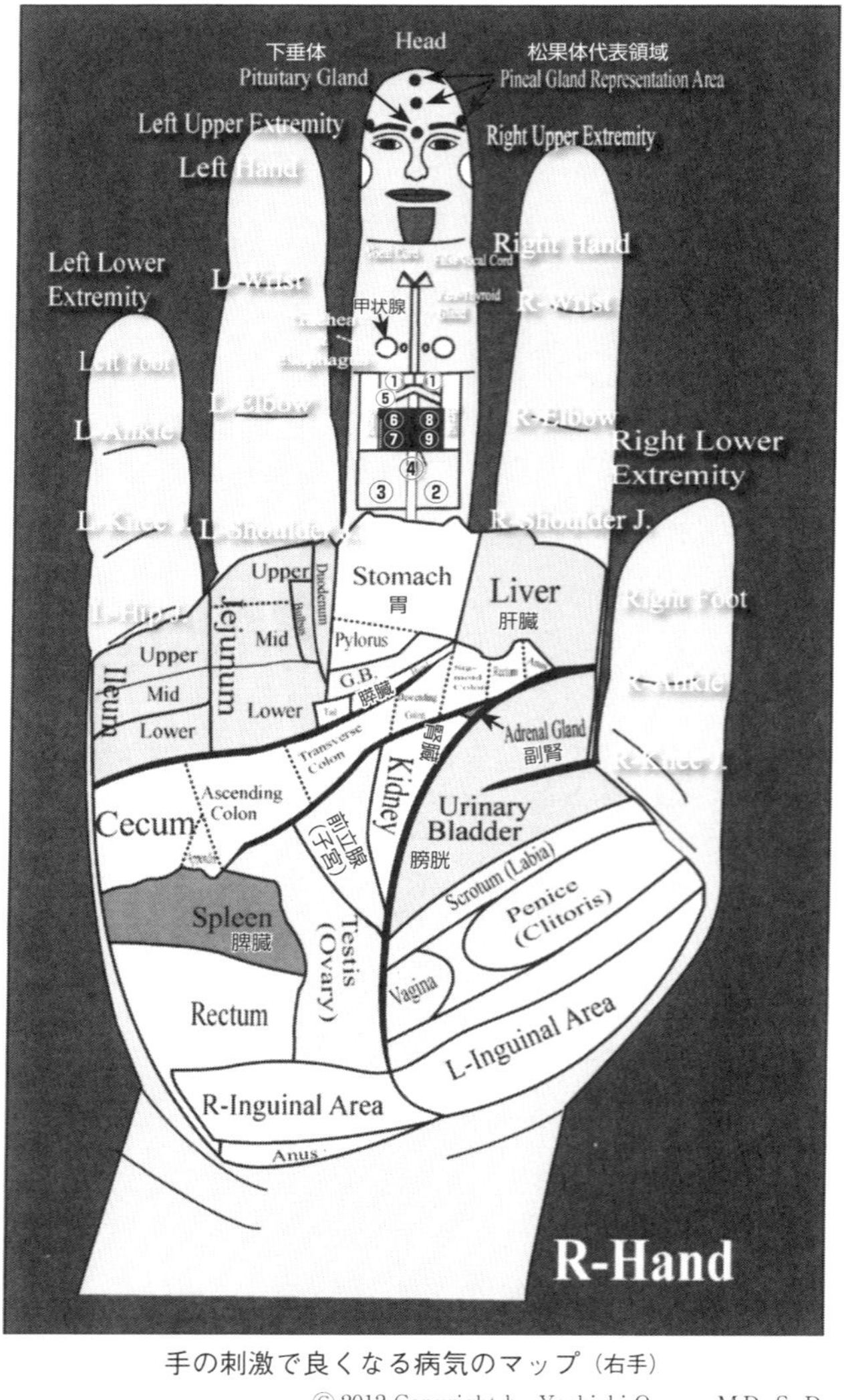

手の刺激で良くなる病気のマップ（右手）

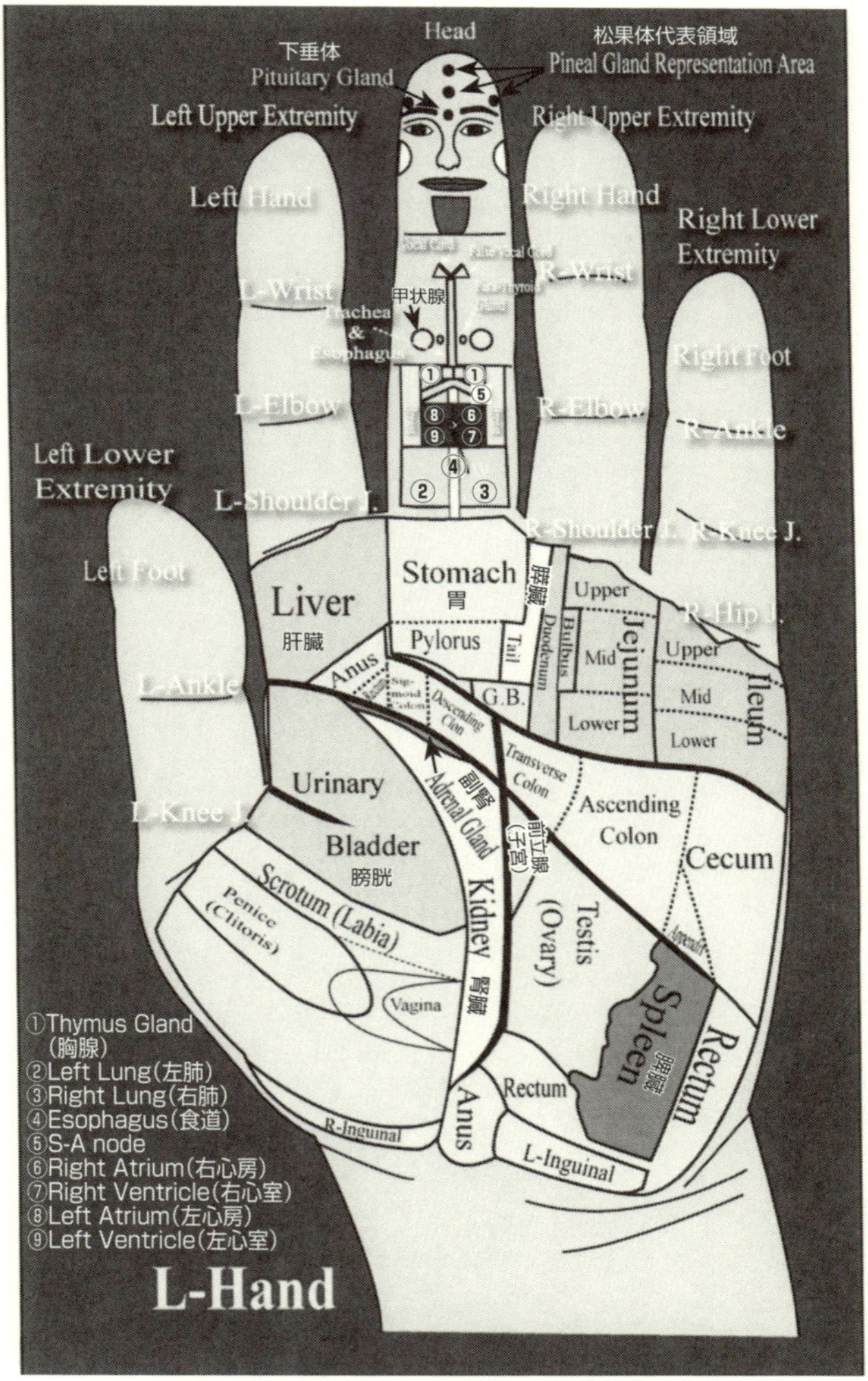

手の刺激で良くなる病気のマップ（左手）

なお、肝臓や膵臓、脾臓、胆嚢（たんのう）など左右片方に偏って存在する臓器の代表領域も、左右両方の手にマッピングされています。しかし基本的には、**体の右側の臓器の異常は右手で、体の左側の臓器の異常は左手で主に調べます。**また、頭部、頸部（けいぶ）、胸部に対応する中指に関しては、親指に近い側で適切な反応を得られやすいことがわかっています。

このような手の臓器代表領域のマップは、韓国や北朝鮮でも作成されて鍼治療の世界に広まってきましたが、それらはO－リングテストで調べたものとは一致しないため正確なものとはいえないようです。

手のひらや甲に鍼灸を施す治療で世界的に有名な韓国の鍼灸指導者が、ニューヨークの私の自宅に訪ねてきて、請われてO－リングテストの手ほどきをしたこともあります。しかし、短時間ではO－リングテストを十分には学べませんから、彼の率いる団体では従来から使っている手のひらのマップを依然として使用しています。臓器の場所は大雑把にいえば正しいところに近いのですが、正確な場所を決めることができないため、臓器が代表されていると考えられるところに臓器の形を入れています。

一方、北朝鮮で手のひらの鍼灸を行っている人は、親指が頭部に対応すると考えているようで『Thunb Is Head（親指は頭だ）』という本を出版していました。

この本は1990年以前は共産圏の鍼治療の世界で広く受け入れられましたが、1990年代に当時共産圏に属していたブルガリアで鍼治療の国際学会が開催されたとき、アメリカを代表して私が一人だけ、招待講演を頼まれました。私が自らの研究に基づいて「中指こそが頭であって、親指は頭ではない」と指摘したことで、共産圏ではその本の理論は受け入れられにくくなりました。

学会にはその本の著者も参加しており、その後、彼の本のタイトルは『Thumb Is Head』から別のものに差し替えられることになります。本人のいる前でその理論を否定することには申し訳ない気持ちもありましたが、患者に対して間違った診断や治療が行われる方がもっと問題ですから、これを発表したことに後悔はありません。

なお、ここで紹介した「手の刺激で良くなる病気のマップ」は手相の類とは関係ありません。念のため手相の本も調べてみましたが、O－リングテストで調べた臓器代表領域とは類似点が少ないことが明らかになりました。

◯「選択的薬剤取り込み増加法」で末期がんが劇的に縮小した

「手の刺激で良くなる病気のマップ」の活用法として特にお勧めしたいのは、服用している薬をより効果的に効かせるための「選択的薬剤取り込み増加法（Selective drug uptake enhancement method）」に用いることです。

病院で投薬治療を受けているのにあまり効いていないようだ……という場合には、薬の成分が患部に届いていない可能性があります。そこで、私は1990年代の初め頃に、薬を効かせたい臓器の代表領域をマッサージなどで刺激して患部の血液循環を促進させ、薬を選択的に効率よく患部に取り込ませる方法を開発しました。それが、「選択的薬剤取り込み増加法」と呼ばれるものです。

「選択的薬剤取り込み増加法」の実例を紹介しましょう。

O－リングテストの特許をアメリカ特許庁に申請したときにお世話になった弁理士から、彼の義理の父親の健康状態に関して相談があったときのことです。彼の話では、前立腺がんが体中に転移し始めていて、どんな薬も効かない状態になってしまっているとのこと。

そこで私は、EPAとDHA（ともに魚の油から精製された成分）の混合物には抗ウイルス作用のほかに抗がん作用があることや、それと同時に、がん細胞の核の中にある水銀をシラントロ（中国パセリ）を使って取り除けば、転移がんにも効くかもしれないことを説明しました。

可能性のあるものは何でも試してみたいとのことで、それらを服用することになりましたが、「どんな薬も効かない」とのことでしたから、それらの薬（サプリメント）の成分を選択的に患部に効かせるために、手のひらにある前立腺の代表領域のマッサージ法も教えておきました。

そして、O-リングテストで変化を追跡したところ、わずか2週間ほどで転移したがんが見つからなくなり、もとの前立腺がんも縮小していました。さらに、本人の体調も回復して食欲も戻ってきています。

前立腺がんの腫瘍マーカーであるPSA（前立腺特異抗原）も、当初「10」であったものが、大部分の転移がんが消えた段階で再検査したところ「1」以下に下がり、さらに数週間後にはほとんどゼロになりました。これには主治医も大変驚いていたようです。

実はその弁理士の実の父親も末期がん（上顎洞がん）であるとのことで、同じようにEP

ＡとＤＨＡ、シラントロを投与して、顔の代表領域である中指の先をマッサージしてもらったところ、やはり２週間ほどでがんの大きさは半分ほどになりました。

その後、がんの縮小はありませんでしたが、出血が止まって小康状態を保つところまで回復したのです。

この２人のがん患者は、アメリカではトップクラスと見なされているがん専門病院の患者です。その病院がもてあました患者数人にも同じような治療を行ったところ、一部の患者を除き、１ヶ月ほどでがんが縮小してしまいました。

薬やサプリメントの投与だけでもそれなりの効果はあったかもしれません。しかし、ここで見られたような早期の改善には、「選択的薬剤取り込み増加法」の寄与するところが大きかったものと思われます。

◯「手の刺激で良くなる病気のマップ」で薬を患部に効かせる方法

それでは「選択的薬剤取り込み増加法」の具体的な方法について説明しましょう。

胃潰瘍や胃がんなど胃の病気を例にとると、薬を服用した直後に、手のひらにある胃の臓器代表領域、つまり、中指の付け根の下の部分を指先で軽くつまむようにしてマッサージすればいいのです。時間は10～15分間。

このとき、顔のときと同じく、マッサージで使う手の爪は短めに切っておき、やすりもよくかけておくこと。そうしないと皮膚を傷つけてしまいます。

また、マッサージ中は手のひらの指を少し前に倒して、皮膚をつまみやすくしてください。

マッサージする場所は薬を効かせたい患部に対応する臓器代表領域となるため、肝臓の病気なら人差し指の付け根の下にある肝臓の臓器代表領域を、糖尿病なら手のひらの小指側の下方にある膵臓の臓器代表領域を、前立腺肥大や前立腺がんであれば手のひらの中央あたりにある前立腺の臓器代表領域をそれぞれマッサージすることになります（72～73ページの図を参照）。

自分の病気がどの臓器に関係しているかわからない場合には、主治医に「自分の病気はどの臓器が悪くて起きているのか？」、あるいは「今、服用している薬はどの臓器に効いているのか？」というように尋ねてみるといいでしょう。

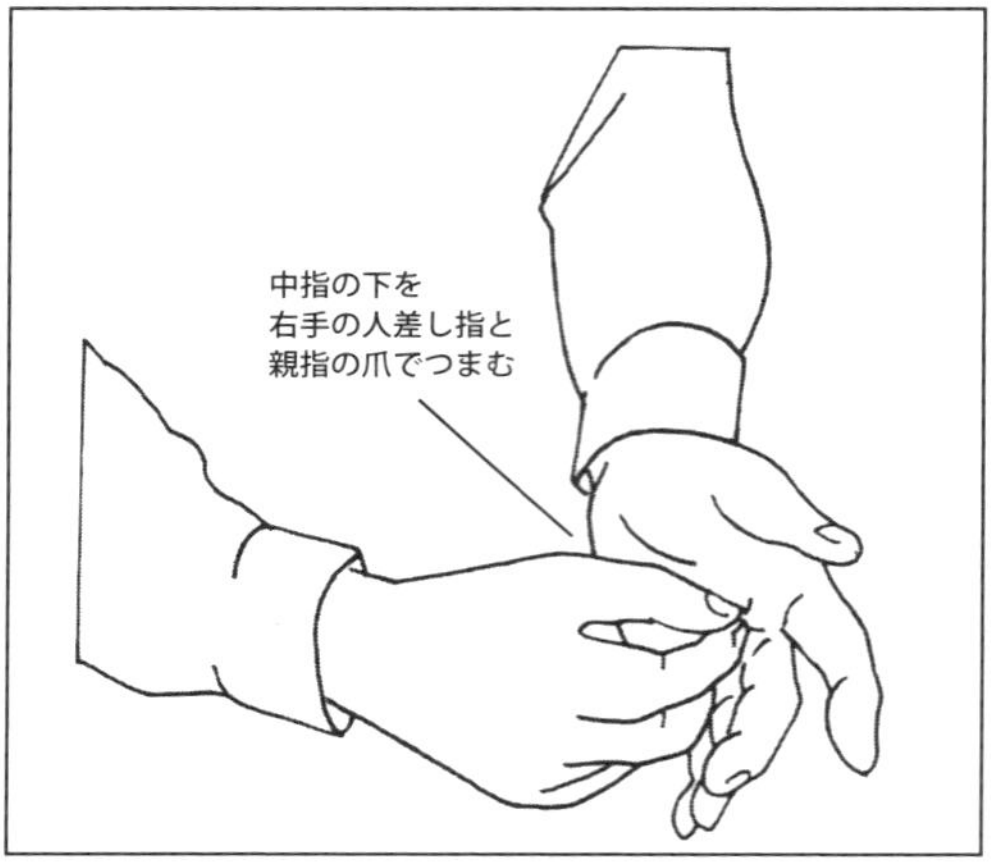
中指の下を
右手の人差し指と
親指の爪でつまむ

たとえば胃潰瘍や胃がんなど胃の病気であれば、薬を服用した直後に、胃の臓器代表領域である中指の付け根の下の部分を指先で軽くつまむようにして、5〜10分間マッサージします。その際、マッサージされる方の指は少し倒すようにするとつまみやすいです。

この「選択的薬剤取り込み増加法」はとても簡単な方法ですが、これによって患部周辺の血液循環が改善すると薬の成分が吸収されやすくなり、薬の効き目がそれまでとは断然違ってくるはずです。

さらに薬を効かせるには、風呂やシャワーなどで患部を温めながら手の臓器代表領域をマッサージしたり、第1章で紹介した「顔に表れる異常でわかる病気のマップ」を参照して、患部に対応する顔の臓器代表領域のマッサージも併せて行ったりしてみましょう。

温熱治療で注意すべきなのは、細菌、ウイルス、ファンガス等に感染された人が高温を30分以上続けて体温を上昇させると、これらの微生物が10〜３００倍に増加することもあることです。急激な感染の増加により、予測していない新しい問題が起こる可能性がありますのでご注意ください。

これらの方法は**薬を服用していない場合には、病気以前の不調が本格的な病気に進行することを防ぐための健康法となります。**

なお、脳には「血液脳関門」という一種のバリアがあり、脳を守るために分子構造が大きな物質は通りにくくなっています。そのため、脳に作用する薬に関しては、その血液脳関門で薬の成分がせき止められて効きにくいことがあるのですが、この「選択的薬剤取り込み増加法」で頭部に対応する中指の先端部分を刺激すると、脳にも薬がよく入っていくようになり、とても効き目が良くなります。

そのように、薬の成分が患部に効率よく吸収されると投与量を減らすことができるので、副作用の軽減にもつながるでしょう。その意味でも、この「選択的薬剤取り込み増加法」は非常に意義深いものだといえます。

筋萎縮性側索硬化症のような難病では刺激している間だけ薬が病巣部に入りますが、刺激をやめたとたんに薬が入らなくなります。しかし24時間続けて1ヶ月近く電気的に刺激することにより、ボールペンさえ持てなかったポドアトリスト（足病医）が患者の足の手術ができるぐらいまで回復した例もあります。

◯気功師を研究してわかったこと

ただし、これまでの経験では、全身が「マイナスの気」を帯びていると「選択的薬剤取り込み増加法」が功を奏しにくいことがわかっています。その説明をする前に、まず「気」という概念について説明しておきましょう。

日本では「気」という言葉は一般にも広く知られているようですが、何かオカルトめいた怪しいものという印象を持つ人も多いようです。しかし、中国では国を挙げてその研究と医療への応用について取り組んでおり、欧米の医学者や医師の中にも強い関心を持つ人は少なくありません。

私自身のことでいうと、気功師のデモンストレーションを初めて見たのは、約30年前に中国政府の招きで北京の第一回国際鍼学会に出席したときのことでした。

手足が不随になった患者に対して気功師が手をかざして動かすと、それに合わせて患者の手足がゆっくり動き出したことに驚き、強い興味をひかれましたが、気功師に話を聞くと「長年修行をしないと気は出せない」といいます。最低でも5～8年間は弟子入りしないと一流にはなれないそうです。

それを聞いた私は、「医科大学なら4年間で卒業できるのに、それでは長すぎる。たとえ病気によく効いたとしても、われわれ医師がさらに5年以上弟子入りをして勉強しなければいけないとは……」と考え、その後は気功に対する関心が次第に薄らいでいきました。

ところが、それから10年ほど経った頃、ニューヨークの国連職員たち100人ほどがつくる「気功研究会」というサークルに招かれて、中国から来た一流の気功師たちのデモンストレーションの前後で、患者の体がどのように変化するかをO－リングテストで調べることになります。

さらに、その研究会の幹事の依頼で、気功師が気を出しているときの体内変化をO－リングテストで調べてみたところ、気を出す「気功状態」になるための条件が明らかになりました。それにより、誰でも計2時間ほどの訓練で気を出せる方法が明らかになったのです。

気功師が長年かけて修得するものをたった2時間で？　と思われるかもしれませんが、事実、私自身がこの方法で修得した気功によって、目の見えない少年を治療して見えるようにしたこともあります。しかも私ばかりでなく、この方法を教えた人のほとんどが気を出せるようになりました。

ただし、この訓練には本人にとってマイナスの作用もあり、またその後、太陽光エネルギーを使った、もっと良い方法を見つけたので、今はあまり教えていません。

さて、このような「気」の話に関しては、非科学的であるとして問答無用に否定する人も少なくありません。確かに、気を正確かつ簡易にとらえる計測器はありませんから、少なくとも現代科学でその存在を直接証明しにくいことは確かです。

しかし、身の回りに無数に存在する細菌やウイルスを識別できるようになったのは、顕微鏡や電子顕微鏡が発明されてからのことであり、それ以前には「そんなものは存在しない」ということになっていたのです。フランスのパスツールは電子顕微鏡が登場するずっと前にウイルスの存在を間接的に実験的に確認していましたが、当時の科学者たちには信じてもらえませんでした。

「気」についてもそれと同じで、今現在、有効な計測手段を持たないからといって、その存在を軽々しく否定してはならないと思うのです。

気功における「気」の存在に関しては、それそのものを計測することはできませんが、それによって起きる体の変化などは測定可能であり、間接的にその存在を証明することができます。

◯気には「プラスの気」と「マイナスの気」がある

私が取り組んできた気の研究における重要な発見の1つは、気には「プラスの気」と「マイナスの気」の2種類があるということです。

「プラスの気」はO－リングテストの筋肉を強くし、血液循環を向上させ、痛みを減らし、患部への薬の取り込みを促進する働きがあります。一方、「マイナスの気」はその逆に作用します。つまり、O－リングテストの筋肉を弱くし、血液循環を低下させ、痛みを増し、患部への薬の取り込みを阻害する働きがあるのです。

このことは中国の気功の世界ではまったく知られておらず、そのためにさまざまな問題が生じていると思われます。

たとえば、**手から気を出す場合には、「プラスの気」と「マイナスの気」はそれぞれ違う場所から出ています。**私の場合、右手のすべての指からは「プラスの気」が出ていて、右手の手のひらからは「マイナスの気」が出ています。

一方、左手はちょうどその逆になっているのです。

そこで、人に対して気を出すような場合には、右手の指先か左手の手のひらだけをうまくかざすようにしないと、かえって相手の健康を損ねてしまうことになるといえます。

私の手は指と手のひらでプラス・マイナスが分かれていますが、手も指もすべてプラス、あるいはマイナスという人もいます。このパターンは人によって異なり、数種類のパターンがあることがわかってきました。同じ人であればほぼ常に同じパターンを示すでしょう。

人を治療する気功師の場合、「プラスの気」が強い代わりに「マイナスの気」も強いので、このことを知らずに治療してしまうと大変な事態を招くことがあります。

10年以上前、私は北京中医大学の王雪苔（おうせったい）教授から招聘（しょうへい）されて、同大学でO－リングテストの講習を行ったことがあります。当時は定員300人だった古い講堂に500人の参加者が詰め掛けるという盛況ぶりでしたが、そのときに王教授から相談を受けたのが、気功の主任教授が出した気を受けた人がみな倒れてしまうという件でした。

その気功の教授のところへ行き、アシスタントとして私に同行していた日本人の歯科医師の方に気を受けてもらったところ、本当にめまいがして倒れてしまいました。ところがすぐ近くで見ていた私も急にめまいがし、しかも激しい痛みが心臓に現れ、数分間動くことができないほどでした。そこで、どんな気を出しているのかと調べてみると、やはり手のひらと指全部から非常に強い「マイナスの気」が出ていました。

こういう場合、体の別の場所からは強い「プラスの気」が出ているはずなので、そのプラスの気を受けた患者は健康を回復することになるでしょう。しかし、気功師本人はどこから「プラスの気」が出ているのかわかりませんから、ある患者は良くなるけれど、別の患者は良くならない……ということになってしまうのです。

また別のときには、日本バイ・ディジタルO－リングテスト協会の会合に気功師を連れてきた参加者がいました。

その気功師は大変有名でたくさんの患者を見ているそうですが、その気を受けた人の体をＯ－リングテストで調べると、みな胸腺の機能に異常をきたしています。そこで、その気功師の気を調べてみたところ、やはり手からは「マイナスの気」が出ていました。

その気功師を連れてきた人は「マイナスの気に対するリバウンドでかえって健康になるのではないか」と言っていましたが、そんなことはありません。しかし、強い気が出ているのは確かなので、Ｏ－リングテストで「プラスの気」が出ている場所を探して、それをこの気功師に教えれば治療成績は格段に向上するものと思われます。

ここで先ほどの話に戻りますが、何らかの理由で患者の全身が「マイナスの気」を帯びている場合には薬の成分が吸収されにくくなります。こういう人は脳に水銀や鉛、アルミニウムなどの金属やアスベストが溜まっていることが多く、特に延髄部（首と後頭部の境目あたり）に溜まっていると、より薬が効きにくくなるようです。また、アルツハイマー病になりやすい傾向があることもわかっています。

この状態を改善するには、シラントロを服用してその成分が脳に行くように中指の末端部分をよくマッサージします。両方の指を10分ずつ行うといいでしょう。それによって、「マイナスの気」は「プラスの気」に変わり、薬が効くようになってくることが多いのです。

体内に入った金属やアスベストの害、それからシラントロに関する情報については第4章でも改めて触れるので、詳しくはそちらを参照してください。

◯1年間以上続いた痛みが一瞬で消えた

気功師の出すプラスの気と同等、あるいはそれ以上に良い作用を持つのが「プラスの太陽エネルギー」です。私がそのことを発見したのは偶然の賜物でした。ヒューストンへ行く用事があって飛行機に乗っていたときのこと、窓の外の夕暮れがとてもきれいだったので私はそれを写真におさめていました。そのときにふと思い立ち、夕暮れ・日没の光に対してO－リングテストをしてみると、3分前後の間だけ強いプラスの反応があります。

そこで、機内食についてきた紙ナプキンをその光にかざしてみて、反応が強いプラスとなる間だけ光に当て、マイナスになった時点でそれをやめて、その紙を本の間に挟んでおきました。

どうして紙を光に当てたのかというと、紙に気功で「プラスの気」を送ると、その紙が「プラスの気」を蓄えた状態になり、その紙を患部などに当てることで気功師による治療と同等の作用を得られることが、私の研究でわかっていたからです。

その後、しばらくの間はその紙のことを忘れていましたが、O－リングテストで自分自身の体に前立腺がんと良性の肺がんの反応があったときに、その存在を思い出しました。そこで試しにその紙を患部に当ててみると、その2つのがんの反応が一時消えてしまったのです。

1回当てただけでしたが、それから1ヶ月の間、ずっと反応が消えていました。

この発見に驚いた私はさっそくほかの人にも試してみます。

そのことがあった翌週に開催された、ニューヨーク市のホリデイインで2ヶ月ごとにやっていたO－リングテストのセミナーに、ある外科医師が小指に潰瘍のできた中年女性を連れてきました。

その小指は布が触れても水が触れても痛い、という状態でしたが、試しに例の紙を当ててみるとその女性が大声で叫ぶのです。痛くて叫んだのではなく、紙を触れたとたんに1年間以上も続いていた痛みが消えてしまったことに驚いた叫びでした。

しかも、潰瘍それ自体もそれから1週間後にはすっかり治ってしまい、さらに、Oーリングテストでは乳がんの反応もありましたが、それも消えてしまったのです。

これを見たセミナーの参加者の医師たちにも、彼らの訴える痛みの場所に紙を当ててみましたが、やはりほとんどの痛みがその場で消えてしまいました。

また、別の機会には、スタンフォード大学の電気工学科の4年生でトップクラスの成績を誇る女性が急に患った原因不明の健忘症を、「プラスの太陽エネルギー」を蓄えた紙で治療したことがあります。

ニューヨーク大学歯科教授の紹介でやってきた彼女をOーリングテストで調べたところ、脳に数種類のウイルスおよび細菌等の感染とアスベストの存在があることが明らかになりました。おそらくそれが健忘症の原因でしょう。

健忘症では試験も論文作成もままなりませんから、本人は「このままでは何も覚えることができないので卒業できない」と大変焦っていました。

この場合、さまざまな対処法が考えられますが、「もしかするとこれがいいのでは……」と思い、短期記憶を司る脳の海馬のあたりに「プラスの太陽エネルギー」を蓄えた紙を当てて、患者本人にしばらく押さえさせてみました。ちょうど頭を左右から押さえる形です。

紙を当てる時間は1秒でも十分ですが、相手の不信を買うといけないので基本的には1分ほど当ててもらうようにしています。

ただ、この健忘症の彼女の場合は特に精神的な効果も考えて15分間紙を当ててもらいました。結果、健忘症は解消され、彼女は無事に卒業することができたのです。

なお、治療後、脳内の感染とアスベストの量は著しく減少していました。問題は「それらはどこへ消えたのか」ということですが、多くの患者で調べたところ、「プラスの太陽エネルギー」を蓄えた紙を当てた後、尿に大量に排出されることがわかってきました。

◯「プラスの太陽エネルギー」を蓄えた紙のつくり方

「プラスの太陽エネルギー」を蓄えた紙には「プラスの気」と似た働きがあります。つまり、O－リングテストの筋肉を強くし、血液循環を向上させ、痛みを減らし、患部への薬の取り込みを促進する働きがあるのです。

その効果は少なくとも20時間前後は続きます。

日の出直前・日没後の3〜4分前で
O−リングでプラス反応のとき
隠れている太陽から出ている
赤色光に向かって紙を当てる

日の出直前と日没直後の10分間で、地平線がピンク色に染まっているとき、その光を対象としてO－リングテストをすると、３〜４分間だけ強いプラスの反応が見られます。その光に対して紙をかざします。紙は100枚ぐらい重ねてもかまいません。そうすると、「プラスの太陽エネルギー」を蓄えた紙を一度にたくさんつくることができます。その紙をアルミホイルできっちりと包んでおけば、何年でもエネルギーを蓄えたままとなります。O－リングテストができない人は、ガイガーカウンターを用いても、「プラスの太陽エネルギー」を得られるタイミングを知ることができます。

また、正常な細胞の**テロメア**（**細胞の寿命を決めるといわれている染色体末端の構造**）の値を急激に増やすと、その逆に異常に増えていたがん細胞のテロメアの値は０近くまで減少します。つまり、抗がん作用まで期待できるのです。

テロメアについては第４章で改めて説明するので、詳しくはそちらを参照してください。

このように、とても有益な作用を持つ「プラスの太陽エネルギー」ではありますが、気にプラスとマイナスがあるように、太陽エネルギーにもプラスとマイナスがあります。また、そのどちらでもないニュートラルな太陽エネルギーもあるのです。

強い「プラスの太陽エネルギー」が得られるのは、日の出直前と日没直後の10分間のうちの、長くてもわずか３〜４分間ほどだけです。このとき、太陽は地平線の下にあるのでその姿は見えず、地平線がピンク色に染まる様子だけを目にすることになるでしょう。

その光を対象としてＯ－リングテストをすると、３〜４分の間だけ強いプラスの反応が見られます。それは「プラスの太陽エネルギー」の証ですから、その光に対して紙をかざします。紙は１００枚ぐらい重ねてもかまいません。そうすると、「プラスの太陽エネルギー」を蓄えた紙を一度にたくさんつくることができます。

そのようにしてつくった紙はアルミホイルできっちりと包んでおくと、何年でもエネルギーを蓄えたままとなります。おそらく、10年でも20年でも問題ないでしょう。

紙の種類は問いませんが、私は使い勝手の良さから、厚みのある、７・５センチ×12・５センチの大きさのインデックスカードを用いています。片面に平行線の入ったものです。

また、皮膚に貼ることのできる赤い円形シールなどもよく用いています。

ここで、注意してほしいのは、「プラスの太陽エネルギー」を蓄えた紙には極性があり、太陽光に当てた面はプラスでもその裏側はマイナスになるということです。

そこで、紙を用いる場合には太陽光に当てた面を皮膚に触れるように、シールの場合には、皮膚に触れることになる糊（のり）のついた面を太陽光に当てなければなりません。その逆側を当てるとマイナスのエネルギーが入ってしまうので、裏表は慎重に確認してください。

なお、Oーリングテストができない人の場合は、ガイガーカウンターで「プラスの太陽エネルギー」を得られるタイミングを知ることができます。

日の出直前、あるいは日没直後にガイガーカウンターを太陽に向けておくと、その数値が4CPM（1分間に4カウント）以下に下がる3～4分間があるので、そのときに紙を太陽に向けてかざし、再び数値が上がってきたら紙をしまえばいいのです。

念のため付け加えておくと、地平線の見えない場所や天気が悪い日にはこの紙をつくることはできません。条件をきちんと満たした上でなければ、逆の作用を持つ紙になることがあるので、自分でつくってみようという方は説明をよく読み、それに正しく従って実施してください。

この「プラスの太陽エネルギー」を蓄えた紙は、患部や痛い場所に当てることで症状を急激に改善します。先ほど説明したように当てる時間は1秒でも十分ですが、精神的なことも考慮して最低1分ほど当ててもいいでしょう。基本的にこの紙は1回使ったら廃棄します。

薬の効きにくい人の場合は、この紙を延髄部に当てた後、「選択的薬剤取り込み増加法」を行うと薬がよく効くようになります。

次章では、「顔に表れる異常でわかる病気のマップ」や「手の刺激で良くなる病気のマップ」、それから「選択的薬剤取り込み増加法」や「プラスの太陽エネルギー」を蓄えた紙などの開発の基礎となった、O－リングテストの概要についてご説明することにしましょう。

第3章　Oーリングテストでわかった人体の不思議な働き

家族の死をきっかけに医師の道へ進む

Ｏ－リングテストの話をする前に、そこに至る私の半生について駆け足でご紹介する必要があります。

私が生まれたのは１９３４年のこと、富山県下新川郡泊町（とまり）（現・朝日町）という田舎町でした。小学校時代は太平洋戦争の真っ只中であり、泊の町には１人しか医師がいないという状況でした。

そんなとき、中学１年の姉が腹痛を訴えますが、たまたまその医師は医学会への出席のため不在。仕方なく近所の鍼灸師を連れてきて、その指示に従って体を温めたところ、姉の意識はもうろうとした状態に陥りました。

そこで翌日、戻ってきた医師の診断を仰いだところ、体を温めたために盲腸炎が悪化したとのこと。虫垂が化膿して破裂した結果、腹腔全体に腹膜炎が広がってしまい、当時は今のように有効な抗生物質がある時代ではないので、もう手遅れとなっていました。

何ら手のほどこしようもなく、私はうわごとを言い苦しみながら死んでいく姉のそばでその一部始終を見守ったのです。

家族の不幸はこれにとどまらず、その後、弟を病院の医療ミスで亡くします。鼠径ヘルニアの手術を受けたところ、その手術が終わるときには弟は死んでいました。

さらには妹までも、経験の少ない医師の間違った指導の結果、原因不明の栄養失調で亡くしてしまい、最後には祖母が入浴中に倒れて亡くなりました。

たった3年ほどの間に4人の家族が次々と死んでいった背景には、当時の医療の不備と、医師をはじめとする医療従事者の知識の不十分さがあったのだと思います。

家族が次々と倒れていく中、母は医学関係の本を買い漁って、その内容を小学生の私に説明し、「もう少し医学の知識があったら、こんな目には遭わなかっただろうね」「お前は医学を勉強する気はないのかい？　こんな悲しいことが起こらないように、いいお医者さんになってくれればうれしいけれど」……というようなことをよく言っていました。

そのときの悲しそうな顔が今でも鮮明な映像として記憶に刻まれています。

その後、私は医師を志して横浜市立大学の医学部へ進学しますが、中学・高校時代には電気や物理に夢中の「理工マニア」少年だったこともあり、同時に早稲田大学理工学部にも通って応用物理学を学んでいました。つまり、二足のわらじを履いて両方の大学に通学

25歳頃の著者

していたのです。

医師になるかエレクトロニクスの技術者になるか迷った末にそういう形をとったわけですが、大学卒業後は医師になることを決め、東大医学部の付属病院で研修医となりました。

そこでの私のモットーは、「いったん自分が引き受けた患者は徹底的に診察して、安全で有効な治療に全力を注ぐ」というものでしたが、1年間のインターン研修と短期間のレジデントなどを経るうちに閉鎖的な日本の医学部に失望するようになり、やがて、アメリカへ移ることを考えるようになります。

運よく、イェール大学と提携するノーウ

ォーク病院でインターン研修を受けられることになった私は、1959年7月、貨物船でアメリカへ渡ることになりました。

そのノーウォーク病院でも私は、自分が担当した患者については入院初日に頭のてっぺんから足のつま先まで調べ上げて、克明にチャート（図表）を作成したものです。

実はアメリカのインターン規則でもそうするよう求められているのですが、きちんと守っていたのは私だけでした。このやり方では1人の患者を調べるのに3時間近くかかるところ、ほかのインターン生たちはみな、患者1人に15分ほどしかかけていなかったのです。

私のやり方では当然時間がかかるので、夜中に病室を訪れて寝ている患者を起こし、検査をさせてもらうこともありました。最後の患者の検査を終えたときには夜明けを迎えていた……ということも何度かあります。

しかし、このような厳密なカルテ作りは患者の治療に役立ったばかりでなく、私自身の勉強にもなりました。患者には問題となっている病気以外にもいろいろな異常があり、それらは見過ごされる場合が多いからです。

そのときの経験とそれによって培われた姿勢こそが、後のO-リングテストの発見にも役立っていると私には思えます。

やがて関心は東洋医学独自の概念の検証へ

さらに、次の1年間はコロンビア大学の心臓血管外科のリサーチフェロー（奨学金給費研究員）として、当時、死亡率の高かった心臓手術における死因を見つけることに成功。それにより死亡率が急に減ったので、私はジョージ・ハンフリ主任教授の絶大な信用を得ることができました。

その後、ハンフリ主任教授の推薦で、私はニューヨーク市にあるコロンビア大学のがん研究所にレジデントとして勤めながら、夜には同大学の大学院で実験物理学の勉強をすることができるようになりました。

そこでは夕方5時を過ぎると教授たちがいなくなるので、何か問題が起きるたび、病院の屋上近くの部屋に住み込んで研究していた私のところに電話が入り、大学院から戻った夜12時以降、毎晩のように何人もの患者から呼び出されます。

もちろん、どんな時間に呼び出されようとも、患者の身になって真摯に治療に取り組んできましたが、あるときから、「どうせならその時間を自分のためにも有効に使いたい」と考えるようになりました。そこで、以前から興味を持っていた東洋医学独自の概念の検証を、患者の許可のもとに行うことにしたのです。

私が東洋医学へ興味を向けるようになったきっかけは、既存の治療が功を奏さない患者に対して、教授の指導により認可前の新薬を使い、それが本当に効くのかどうかもわからないのに投与して、あまり効かないときには薬の量を増やしていく、というやり方がまかり通っていることに疑問を感じたからでした。

これは「臨床試験」と呼ばれるものであり、新薬が認可を受けるために必ず通るステップなのですが、薬を与えてみて患者がどうなったかを見て、効き目や副作用を判断するという方法には倫理上の問題があり、実際、多くの患者が薬の副作用によって、病院に来なかった患者よりも早く亡くなってしまったものです。

治療とは本来、そのような行き当たりばったりのものではなく、患者の病状が悪化する前にその兆候を察知して、有害な治療はやめ、安全で最も有効な治療をするのが理想的な姿だと考えた私は、東洋医学でいう経穴（ツボ）や経絡（ツボを結ぶルート）といったところに、体の異常が表れるのではないかと考え、それをきちんと科学の目で確かめてみたいと思うようになりました。

過去に鍼灸師の間違ったアドバイスによって姉を失ったことのある私でしたが、また別の機会には、大学病院の整形外科の教授がどれほど治療を繰り返しても治らなかった母の五十肩の痛みが、近所の鍼灸師の打った1本の鍼で消えたのを目撃したこともあり、それをきっかけに東洋医学に関しては強い関心を抱いていたのです。

そこで、コロンビア大学のがん研究所においてまず私が取り組んだのが、圧痛点（あっつう）や臓器代表点といった東洋医学独自の概念の検証でした。

圧痛点とは皮膚の表面を押したときに痛みを感じるポイントのことであり、筋肉痛の場所以外に、内臓に異常がある場合にも特定の場所にそれが現れます。いくつかの圧痛点は西洋医学でも知られていて病気の初期診断にも使われますが、東洋医学ではそれがさらに詳細な形で系統立てられており、経穴（ツボ）として知られています。

しかし、そのような経穴は医学的にきちんと検証されてはいなかったので、私はそれを一から調べてみようと考えました。

たとえば、胃の圧痛点を探る場合には、胃がんの患者の体のあちこちを指で押してみて、痛みの現れる場所を突き止めます。ほかの部位のがんでもやり方は同様です。

郵 便 は が き

料金受取人払郵便

新宿局承認

7553

差出有効期間
2024年1月
31日まで
(切手不要)

160-8791

141

東京都新宿区新宿1－10－1

(株)文芸社

愛読者カード係 行

ふりがな お名前		明治 大正 昭和 平成 年生 歳
ふりがな ご住所	□□□-□□□□	性別 男・女
お電話 番 号	(書籍ご注文の際に必要です) ｜ ご職業	
E-mail		
ご購読雑誌(複数可)		ご購読新聞 新聞

最近読んでおもしろかった本や今後、とりあげてほしいテーマをお教えください。

ご自分の研究成果や経験、お考え等を出版してみたいというお気持ちはありますか。

ある　ない　内容・テーマ(　　)

現在完成した作品をお持ちですか。

ある　ない　ジャンル・原稿量(　　)

書　名			
お買上 書　店	都道 府県　　　市区 郡	書店名	書店
		ご購入日	年　　月　　日

本書をどこでお知りになりましたか?
1.書店店頭　2.知人にすすめられて　3.インターネット(サイト名　　　　　　　　)
4.DMハガキ　5.広告、記事を見て(新聞、雑誌名　　　　　　　　)

上の質問に関連して、ご購入の決め手となったのは?
1.タイトル　2.著者　3.内容　4.カバーデザイン　5.帯
その他ご自由にお書きください。
(　　　　　　　　)

本書についてのご意見、ご感想をお聞かせください。
①内容について

②カバー、タイトル、帯について

弊社Webサイトからもご意見、ご感想をお寄せいただけます。

ご協力ありがとうございました。
※お寄せいただいたご意見、ご感想は新聞広告等で匿名にて使わせていただくことがあります。
※お客様の個人情報は、小社からの連絡のみに使用します。社外に提供することは一切ありません。

■書籍のご注文は、お近くの書店または、ブックサービス(0120-29-9625)、セブンネットショッピング(http://7net.omni7.jp/)にお申し込み下さい。

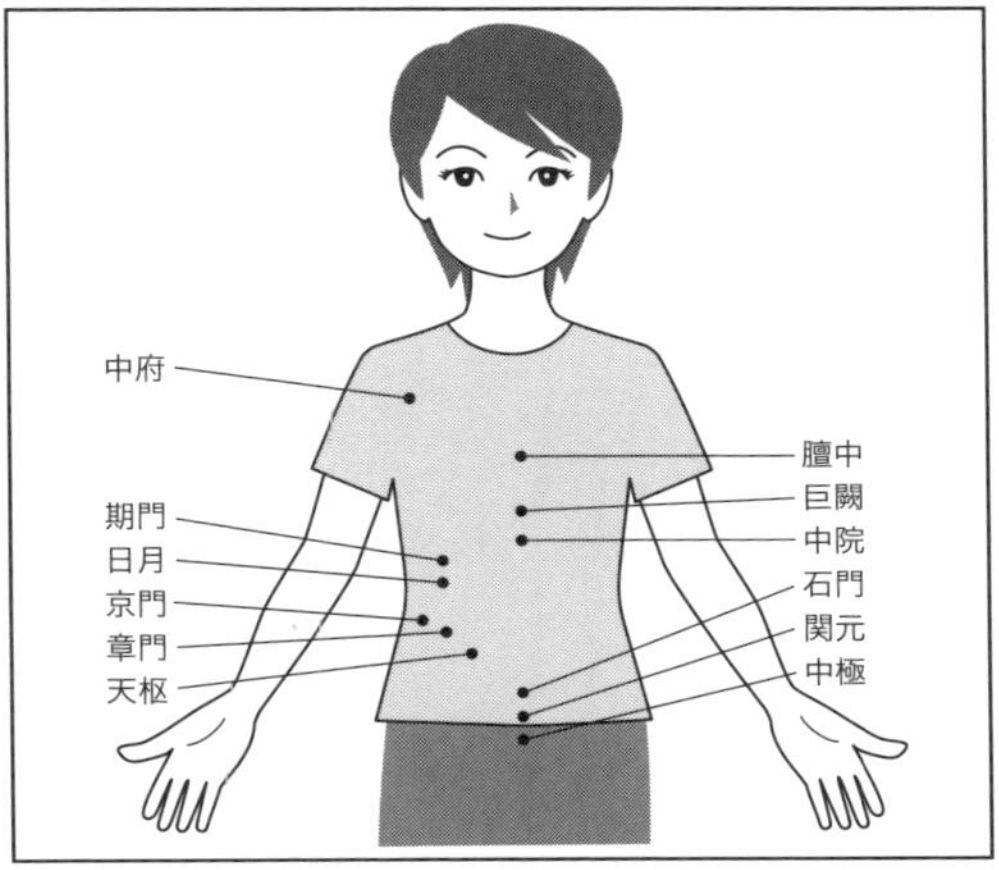

募穴

がん研究所にはありとあらゆる臓器のがん患者が収容されていたので、彼らに協力してもらって臓器ごとの圧痛点＝臓器代表点を明らかにしていったのです。

その結果、**東洋医学で古くからいわれている臓器代表点に関しては、その概念は正しいものの、場所がズレていることが多いことがわかりました。**

胸や腹など体の前面にある「募穴（ぼけつ）」という臓器代表点はある程度まで診断に利用できそうでしたが、背骨の両側にある「兪穴（ゆけつ）」の方は、肺を除けば大部分の場所が違っています。

また、病的な圧痛についても病気の初期段階ではっきり出ないことがわかってきたり、伝統的な東洋医学が成立した時代には存在が知られていなかった臓器に対応する圧痛点などもわかってきたりしました。

そのような東洋医学の研究の一方で、私は心臓の研究にも取り組み、コロンビア大学がん研究所でのレジデントを終えた後、同大学薬理学科の大学院において、「生体内および生体外における1個の心臓細胞の薬理電気生理学の研究」でドクター・オブ・サイエンス（Sc.D.）の博士号を1965年に授与されます。

その後、アメリカ、フランス、イタリア、ウクライナ、日本、中国など10ヶ国の大学で、教授、非常勤教授、客員教授などに就いてきました。

○そして、Oーリングテストが発見された

コロンビア大学がん研究所での東洋医学の研究に話は戻ります。

東洋医学で古くからいわれている臓器代表点の位置に間違いが多いことに気づいた私は、その正しい位置を探すことに力を注ぐようになります。

また、特定の臓器が病気にかかっている場合に、その圧痛点（臓器代表点）にどれくらい

の力をかけると圧痛が生じるのかということにも興味を抱き、測定機器を工夫して測ってみたところ、80〜100グラムの力が適切であると発見しました。

しかし、臓器が正常である場合でも、150〜250グラムほどの力をかければ圧痛を生じるため、これでは判断に迷うことがありそうです。そこで、試行錯誤しているうちにたどり着いたのが、患者の握力を調べることでした。

最初、普通のやり方で握力を測っていましたが、アメリカの神経内科医たちが、患者に親指と人差し指でしっかり紙を挟ませ、それを引っ張って指の握力を調べていることにヒントを得て、親指と人差し指、あるいは親指と中指といった指2本での握力を調べることにしました。このとき、2本の指で輪を作ることから、これを「O-リング」と呼びます（202ページの図参照）。

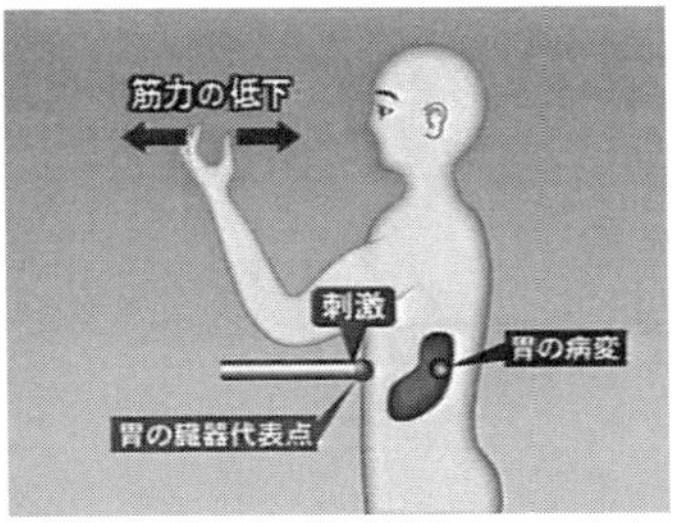

そのデータが集まってくると、指の握力に体内の異常が反映されることがわかってきました。たとえば、胃に異常があれば、胃の代表点（胸骨の下端とヘソとの中間）を圧迫したときにはO-リングの握力はてきめんに低下して、そのO-リングを検者が

開こうとすると、力が入らず容易に開いてしまうのです。

しかも、圧痛による検査のように80グラムとか100グラムといった力をかける必要はなく、異常な箇所には、一本の毛でそっと触れただけでも、具体的には0・1グラム以下の力でも同じ現象が起こります。つまり、体のどこに異常があったとしても、その臓器の代表点を指先や細い木の棒などで軽く触れればO－リングの握力が落ちて、それにより病気の診断が可能になるわけです。

私はこのO－リングの握力による検査法を「O－リングテスト」（正式名称はバイ・ディジタルO－リングテスト）と名づけ、医療現場において正確な診断を行うにはどういうやり方がベストなのかを探っていきました。

検査は基本的に、患者のO－リングを検者の指で作ったO－リングで開く形で行われます。このO－リングは円形に近い方が望ましく、検者は指を引く直前に「はい」と声をかけて患者に指の力を入れさせてから、一定の力と速度で一直線上に患者のO－リングを開くように指を引きます。

ただし、患者の指の力が非常に強い場合には、臓器に異常があったとしても開きませんから、親指と人差し指という基本の組み合わせだけでなく、親指と中指、親指と薬指、あるいは親指と小指というようにO-リングを作る指を変えてみて、検者が指を引く力とのバランスをうまくとる必要があります（202ページ下の図参照）。いずれの組み合わせであっても、正常ならO-リングが開かず、異常な臓器に触れると開く、という組み合わせであればいいのです。

そのように、O-リングテストの精度を高めるための必須条件が定まってきたのは、研究を始めてから5～6年後のことでした。

また、「O-リングテストで何がわかるのか」ということも、さまざまな実験を繰り返すうちに判明してきます。

第一は臓器の異常がわかるということ。臓器代表点や臓器そのものの真上の皮膚を指先や細い木の棒で触れると、そこに異常があるときにはO-リングは開きます。ただし、胸腺（きょうせん）だけは例外的に、正常でO-リングが開き、異常があるとしっかり閉じたままになる、ということもわかりました。

それから、有害な物質を患者の手のひらに載せるか、指先をその物質に向けると、O-リングが容易に開くという現象も発見されました。薬を手のひらにのせ、全部の指で包んでO-リングテストをやることにより、薬の適量を知るのに役立ちます。薬が適量であれ

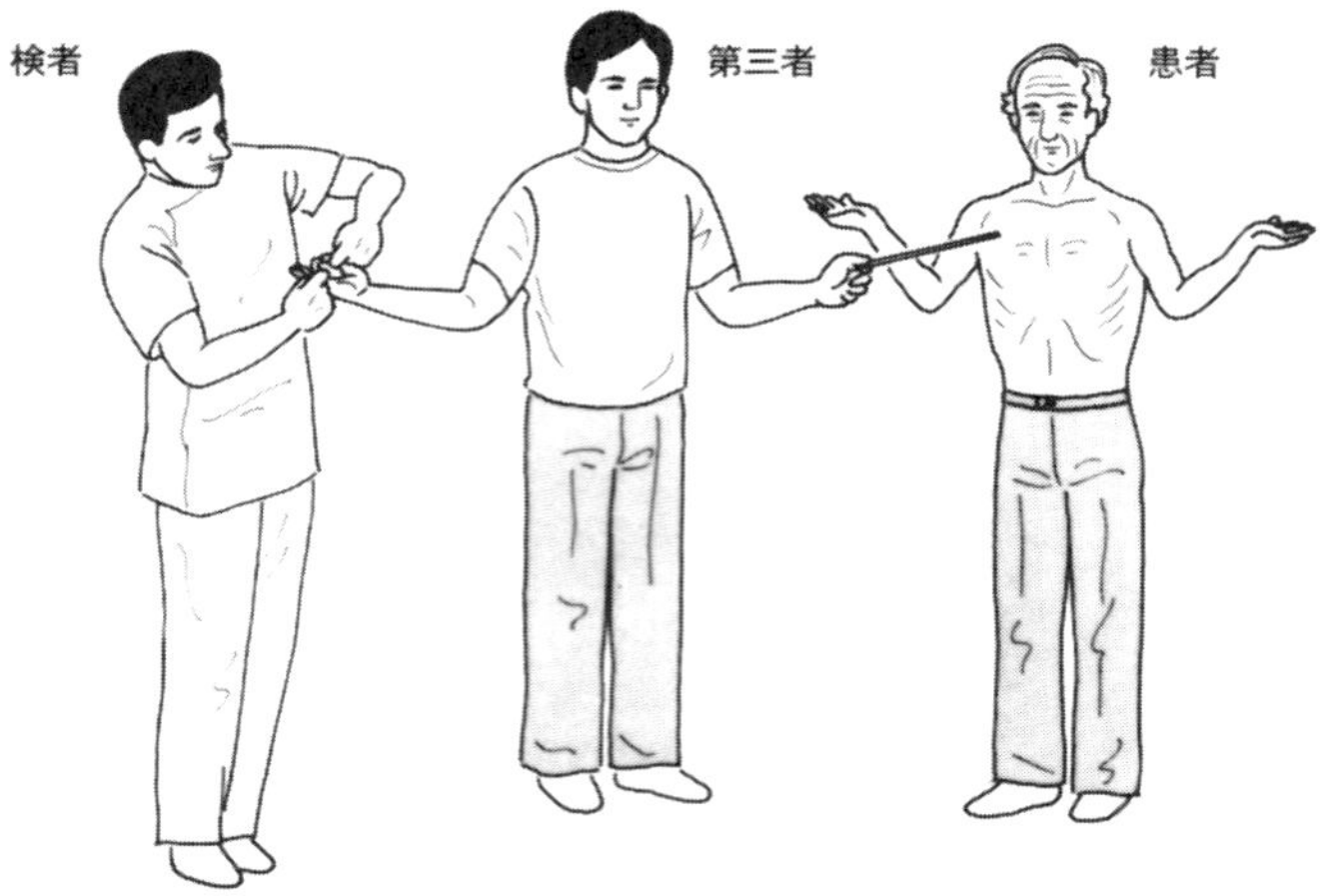

「間接法」（『図説バイ・ディジタルO－リングテストの実習』大村恵昭・著、医道の日本社より）

ばO－リングが最も強くなって開きませんが、副作用を起こす量であれば容易に開いてしまうからです。

また、テストのための適切な指の組み合わせが得られない場合や、患者に麻痺などがあり指に力を入れられない場合、あるいは子どもや意識のない人の場合に、第三者（助手）を介して検査を行う方法も見出しました。

「間接法」と呼んでいるこのやり方では、助手が金属棒で患者の臓器代表点などに触れ、その助手のもう一方の手で作ったO－リングを検者が引くことになります。この場合、検査箇所に何らかの異常があればO－リングは開き、正常であれば開きません。
また、特定の物質の近くをビーム状の光が通過するときには、その物質の情報が光の届く先と発せられた源の双方向に伝達することもわかりました。（専門的にはBi-Directional Transmission of Information on the Amount & Structure of Moleculesといいます）
その現象を利用すれば、助手にレーザーポインターを持たせて患者の臓器代表点などに光線を当てることで、ガラス越しの場所などで患者に近づけないような場合にも検査が可能となります。

◯「同一物質間の電磁場共鳴現象」によってカプセルの中身を当てた

それから、「同一物質間の電磁場（波）共鳴現象」によってO-リングの握力が著しく減少する現象を見つけたことも重要な発見でした。

電磁場共鳴現象とはコロンビア大学教授のマイケル・ピューピンという人が1910年代に発見したもので、同じインダクタンス（誘導係数）のコイルと同じ容量のバリアブル

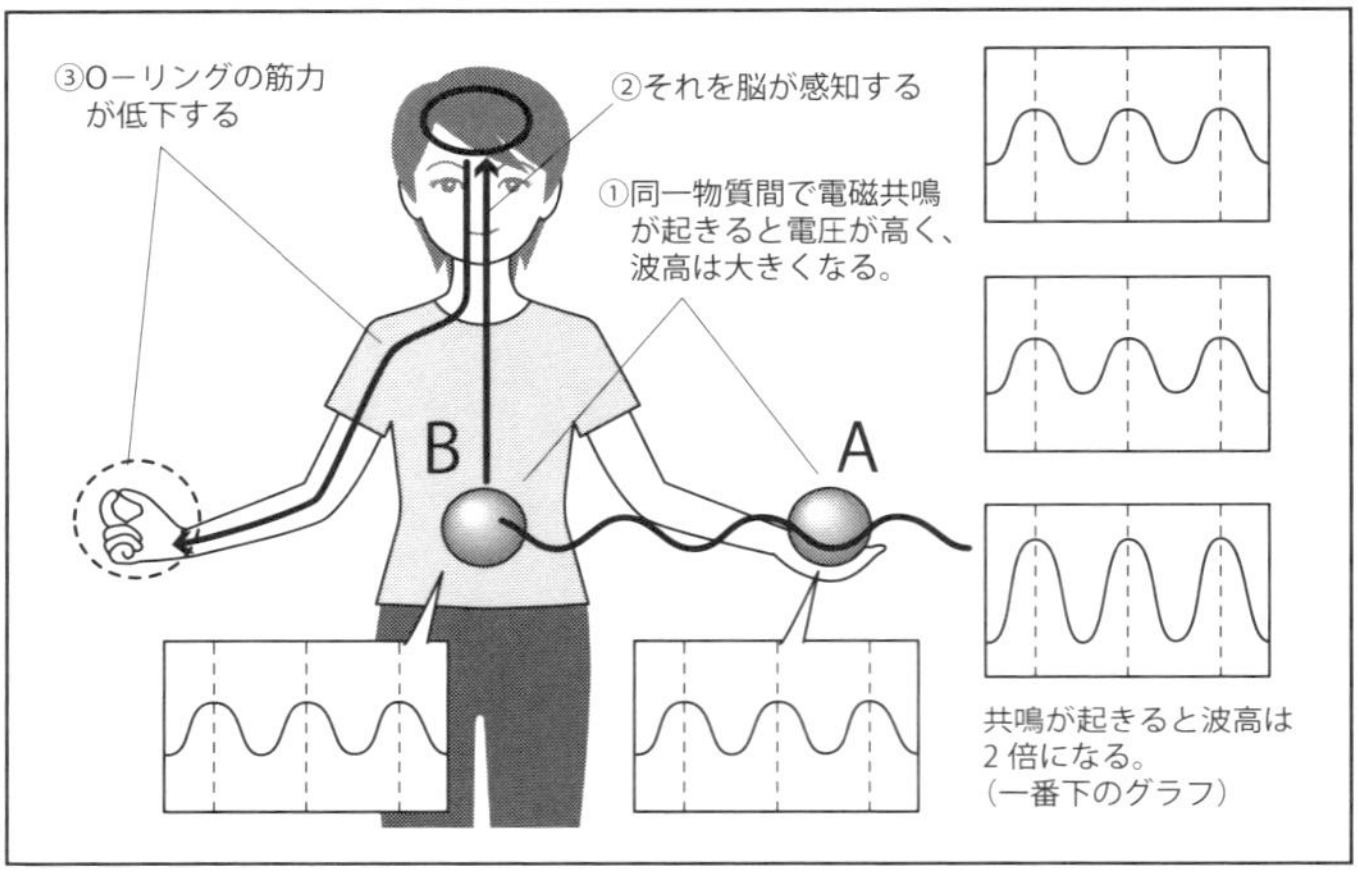
③Oーリングの筋力
が低下する
②それを脳が感知する
①同一物質間で電磁共鳴
が起きると電圧が高く、
波高は大きくなる。
B
A
共鳴が起きると波高は
2倍になる。
（一番下のグラフ）

同一物質間の電磁場共鳴現象

コンデンサをつないで、電気共振路を2つ用意し、コンデンサの大きさを同じ量に設定すると、2つの回路間の距離を大きくしても、その両者の間に共鳴が起きるというものです。

これを応用した身近な例にラジオやテレビがあります。周波数を合わせると特定の局だけを受信できるのはこの共鳴現象によるものです。

私はコロンビア大学のがん研に勤め始めた頃、空いている時間を使って同大学院の物理の大学院で聴講しており、そこにある「ピューピン・ラボラトリー」と呼ばれる実験物理学の建物で、かつてピューピンが使っていたのと同じ実験装置を用いて、彼の歴史的な共鳴実験を再現したことがあります。

100年近くも前の装置が今でも動き、ピューピンと同じ実験を行えるということは大変感慨深いものでした。さらに、その体験は後のO-リングテストの研究にもインスピレーションを与えてくれたようです。

2人の人間がそれぞれ、ピューピンが用いたものより小さいが、同様の回路を手のひらに載せ、双方の回路が平行に保たれるようにしてO-リングテストを行うと、筋肉の力がなくなってO-リングは必ず開くということを私は発見しました。ただしそれは、コンデンサが電荷を蓄える量を表すキャパシタンスの値が同じ場合だけであり、一方を操作してキャパシタンスの値を変え、それが一致しないようにすると、O-リングはしっかりと閉じてしまいます。

何かの思い込みでその現象が起きているのではない証拠に、この2人を200メートルほど離れた位置に置いて同様の実験をしてもまったく同じ結果が出るのです。

これに興味を抱いた私は、同じような電磁場共鳴現象が同一物質間で起きるのではないかと考えました。そこで、さまざまな実験を試みた結果、検査を受ける患者、あるいは検者が手に持った物質と同じ物質が患者の体内にある場合にはO-リングが開くということを発見したのです。

私はこの現象を「同一物質間の電磁場（あるいは電磁波）共鳴現象」と名づけました。

これは、**同じ物質は同じ周波数の電磁波を発しており、かつ、その波の位相が同じであるときに、その2つの物質の間で起きる共鳴現象のことであり、双方の物質から出ている電磁波の波が揃うことで、その電圧は高く、波高は大きくなります。そして、それを体が感知して脳が反応を起こし、O－リングの握力が低下するのです。**

このことは昭和大学の生理学の前主任教授である武重千冬（たけしげ ちふゆ）学長の協力で別の形でも確認されました。

武重先生は早い時期からO－リングテストへの関心を表明されており、昭和大学を訪ねたときにこの話をしたところ、「分子間の共鳴現象なら、臓器でなくても同じことが起きるはずですね。すぐに実験の準備をしますから、3分ほど部屋の外に出ていてください」と実験の提案をされたのです。

言われた通りにすると、部屋に戻ったときには机の上に紙が敷かれていて、通常は抗生物質のテトラサイクリンに用いているカプセルが1個載っていました。

武重先生は「このカプセルの中身が何か当てられますか。同じものはこの部屋にありますから、（臓器の検査のときに使う）プレパラート代わりに何を使ってもかまいません」と言います。周囲には医局員たちがいて興味津々の面持ちで見守っている状況です。

たまたま私は何種類もの抗生物質を持参していたので、そこにいた医局員の1人を助手にして、それらの1つ1つをO－リングテストでチェックしていきました。しかし、何種類もの抗生物質で試してもO－リングはいっこうに開きません。

そこで、周囲を見渡してみると食塩の容器があります。試みにその食塩をティッシュに包んで助手に持たせてみるとO－リングは簡単に開きました。

「武重先生、外側は抗生物質のカプセルですが、どうやら中身は食塩のようですね」と言うと、先生から称賛の言葉が返ってきました。中身は確かに食塩だったのです。

抗生物質のカプセルに食塩を入れるというある種の「ひっかけ問題」であったわけですが、これに正答したことで同一分子間に起きる電磁場共鳴現象の存在とO－リングテストの正確性がここでも証明されることになりました。

◯がんの病巣やウイルスの感染部位まで正確にわかる

この「同一物質間の電磁場共鳴現象」の発見は、Ｏ－リングテストによる検査に格段の進化をもたらすことになりました。

たとえば、胃の臓器代表点に触れたときにＯ－リングが開いたとしても、これまでは「胃に何らかの異常がある」ということしかわかりませんでしたが、「胃潰瘍の組織標本スライド」を患者が持ってＯ－リングテストをしたときにＯ－リングが開いたなら、その異常とは胃潰瘍であるということが明白になります。その標本スライドと、体内に潜む胃潰瘍の組織との間に「同一物質間の電磁場共鳴現象」が起きてＯ－リングが開いたと考えられるからです。

同様に、「胃がんの組織標本スライド」で開いたなら胃がんだということになります。つまり、二つの同一物質間で発生している分子の振動数および波の位相が同じであることで生じる電磁場（波）共鳴現象が起きると、Ｏ－リングテストで筋力が急に弱くなり、Ｏ－リングが簡単に開く現象を利用することにより、たとえばある人に胃がんがあるとすれ

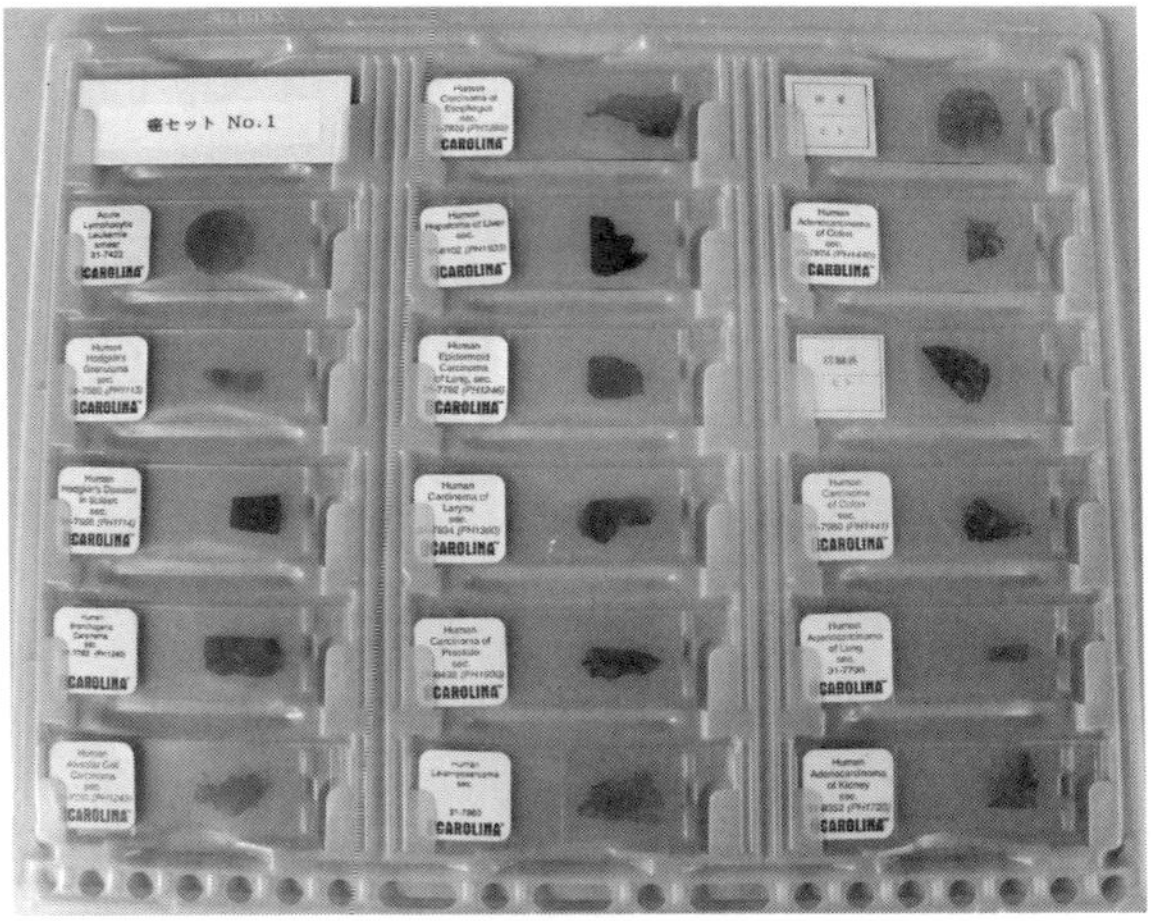

がんの組織標本スライド

ば、同じ胃がんの顕微鏡用に作られた組織のスライドがあれば胃がんの患者が同じ顕微鏡用の組織のガラススライドを手に持つと、同一物質間の電磁波共鳴によりその患者のO-リングの筋力が非常に弱くなるので、その人に胃がんがある可能性が非常に大きくなります。この方法で非侵襲（しんしゅう）的に（体に傷をつけずに）がんの検査を行えるわけです。

　ただし、実際にO-リングテストでがんの有無を調べる場合には、がん細胞があるときに増える化学物質の数値などを「同一物質間の電磁場共鳴現象」を利用して精査した上で、さらにがん細胞との共鳴が起きるかどうかを調べるので、それなりの時間がかかります。

それでも、がんのスクリーニング検査には5～10分ほど、細胞診断に関しては1つのがんにつき約10分余りといったところです。通常だと、生研で切り取った小さい組織の顕微鏡用のスライドをまず作って、それを病理の専門医が診て判断するため2～3日はかかりますが、Ｏ－リングテストでは同一物質間の電磁場共鳴現象で正確に早く診断できるので、飛躍的に短時間で判断できることになります。さらに私の開発したMouth, Hand & Foot Writingのチャートを使うと、がんその他の体の異常が短時間で見つかるばかりでなく、標準的な医学検査より早く異常が見つけられます。

また、がんの場合にはそれに加えて「イメージング」という検査を行うことがあります。たとえば、「正常な胃の組織標本スライド」を患者が持ち、胃の周辺の皮膚を刺激するとＯ－リングが開くところと開かないところがあります。さらに、刺激する場所を次々と変えていき、その両者の境目にマーカーで印をつけていくと胃の形が現れてきます。ちょうど、レントゲン写真と同じことができるわけです。

しかも、それに加えて「胃がんの組織標本スライド」で検査すると、体表面に2次元的に投影させた状態ではありますが、病巣の位置をかなり正確に描写することが可能です。

また、同じやり方でウイルスや細菌に感染している箇所なども明らかにできます。たとえば、「ヘリコバクター・ピロリ菌の標本スライド」を患者に持たせて、胃のいろいろな場所を刺激していったときにO－リングが開くところがあれば、そこにヘリコバクター・ピロリ菌の感染があるということです。さらにこれらの菌がどれだけあるかを定量することもできます。

MRIやCTスキャンなどは、体内の形態の変化を調べる上では非常に精度の高い方法ですが、どこにどんな感染があるかを知ることはできません。その意味で、O－リングテストは通常の画像診断を補完する有益な検査方法であるといえるでしょう。

なお、「同一物質間の電磁場共鳴現象」で人体を調べると、特に病気を持っていない人でも体の各部に細菌やウイルスが潜んでいたり、一般的に生活習慣病とされる病気であっても実は細菌やウイルスが原因になっていたりすることがわかってきました。

たとえば、サイトメガロウイルスやクラミジア・トラコマティスの感染が膵臓に至ると糖尿病になります。また、結核とサイトメガロウイルスに感染し、クラミジア・トラコマティスが脳に感染し、さらに一定量以上のアスベストが体内に存在していると、アルツハイマー病になります。

これらのことは通常の医学ではまったく知られていないことですが、Ｏ－リングテストに基づいてこれらの感染にうまく対処していくと病状が良くなっていくことから、この診断がいかに正しいかということが間接的に証明されるといえます。

◯「犬をＯ－リングテストで診断できないか？」

なお、異常のある臓器の代表点や、その臓器の真上にある皮膚に触れたときに指の筋力に変化が生じてＯ－リングが開くという現象は動物実験でも確認されています。動物でもＯ－リングテストが成り立つのだとすれば、体の異常な部分に触れたときにＯ－リングが開くという現象が、被験者や検者の先入観や思い込みによる暗示現象などによるものではない、ということが証明されることになります。

これもまた、昭和大学の元生理学教室の主任教授および医学部長、さらに学長もやられた武重先生の提案によるものでした。

実験ではウサギに薬品を投与して人工的に十二指腸潰瘍を作り、それをＯ－リングテストで検査します。ただし、ウサギでは肝心のO-リングを作れないので、親指と人差し指に相当する脳の部分に電気刺激を与えて筋肉を収縮させることにしました。

このときウサギの前足の筋電図は波打ちますが、異常な部分に触ることでO-リングの筋力が低下するのであれば、この筋電図の波の振幅も小さくなるかゼロになるはずです。

医局員たちの協力で実験を行ったところ、手の指に相当する箇所の筋電図の波は、十二指腸潰瘍の付近の皮膚をピンセットで軽くつまんだ瞬間に消えてしまいました（写真参照）。

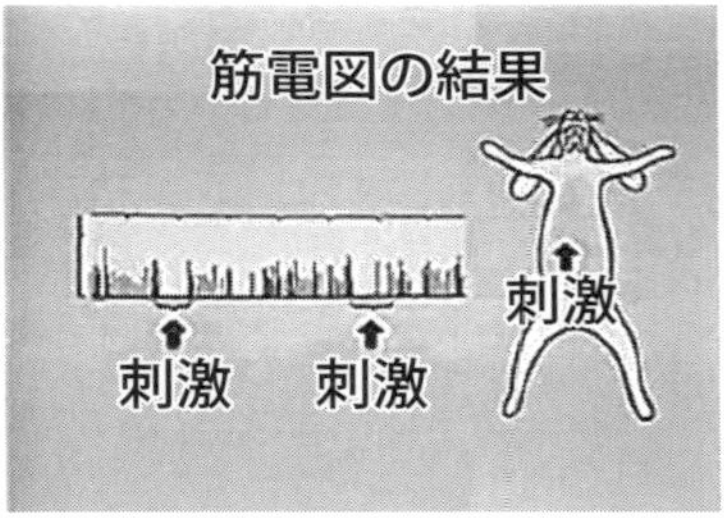

これは人間でいうとO-リングが開いたことに相当するため、動物でも人と同じメカニズムが働いていることが証明されたことになります。

これをきっかけに、武重先生は昭和大学の久光正助教授（当時）ら共同研究者とともに、O-リングテストに関する動物実験を論文にまとめて、『国際鍼・電気治療学術雑誌』などに発表されました。私はO-リングテストの臨床応用の過程でさまざまな現象を発見してきましたが、それに加えて、武重先生や久光先生たちの実験により生理学的基盤が与えられることになったのです。

なお、その後、久光先生は武重先生の跡を継いで昭和大学医学部第一生理学教室の主任教授として活躍されています。

動物ということでいえば、実は先ほどご説明した「間接法」は動物にO－リングテストを試みたことがきっかけになっています。

「間接法」が誕生する少し前、指のない人や指がうまく動かない人などにO－リングテストを行う方法をつくることが私の一番の関心事項でした。そんな折、鍼とO－リングテストの講習のためにベルギーのブリュッセルを訪問した私は、その講習のホスト役であるアンドレ・ドゥスマル教授の自宅での夕食の席で、ある依頼を受けました。そこに来ていた医師の代表の1人から「ペットの犬をO－リングテストで診断してほしい」と頼まれたのです。

話を聞くと、犬が病気にかかって立ち上がれなくなったとのこと。そこで、私はその頃、考えていた「間接法」のアイデアを試してみることにしました。

手始めにドゥスマル教授の検査を、その息子さんを助手にして行ってみます。教授は過去に脳卒中の後遺症で片側の手足に少し麻痺があり、O－リングテストの「イメージング」でも脳内の障害部位を確認できたからです。

私はO-リングテストには生体の電気現象がかかわっていると考えていたので、患者と助手を金属の導体で結べばよいと考えました。そこで、食事用のナイフを助手役の息子さんに持たせて先端を教授の頭部に当てて、息子さんの指でO-リングテストを行ったのです。すると、教授を直接O-リングテストで調べたときとまったく同じ結果が出ました。

理論的にはこの同じ方法で犬の検査もできるはず。そこで、教授と息子さん、依頼主の医師と私は全員で犬のもとへ向かいました。おそらく、みんながこの新しい発見にどこかワクワクした気持ちでいたのではないでしょうか。

依頼主の自宅に着くと、犬は前脚が伸びきっていて立ち上がれない状態でした。そこで、教授の息子さんを助手としてO-リングテストを行ったところ、前脚だけでなく上半身全体にウイルス感染があることが確認されます。

獣医からはペニシリン系の抗生物質をもらって服用させていましたが、O-リングテストで調べると、この犬にはその薬は無効であり、テトラサイクリンという薬であれば非常に効果があることがわかりました。そこで、そのように処方を変えたところ、その次の日には犬はもう歩けるようになったのです。

このことから「間接法」によるＯ－リングテストが可能であることを確信した私は、その後の追試を経て正確な結果を得るための条件を探っていき、現在行っているやり方を確立したのです。

○Ｏ－リングテストの正確性を証明し特許を取得

Ｏ－リングテストを本格的に検査に使い始めたのは、親しくしていたニューヨーク州医師会の会長であるソウル・ヘラー博士から、「背中の痛みがどんどん悪化しているのだが、どこへ行っても原因が見つからない」という相談を受けたことがきっかけでした。

Ｏ－リングテストは膵臓頭部にがんがあることを示していましたが、がんのトップクラスの病院の１つであるスローンキャンタリング病院の検査ではどこにもがんは発見されません。しかし、食欲がなくなり、背中の痛みの悪化から立ち上がることもできなくなったので、入院して毎週検査を行いました。

それでも、がんは見つかりませんでしたが、２ヶ月後に再検査をしたところ、ＣＴスキャンで膵臓頭部にがんが見つかりました。しかし、すでに末期であり「あと数週間くらいしかもたないだろう」ということで退院させられたのです。

私はヘラー博士の家族に頼まれて丸山ワクチンを取り寄せ、本人に試してもらいましたが効果はありません。そこで、免疫力が落ちているから効かないのではないかと思い、彼の胸腺を調べたところ、やはりその機能が非常に低下しています。そこで、胸腺のある胸骨柄の下半分の皮下に平行に長い鍼を毎日打って、胸腺の循環を改善させてから再び丸山ワクチンを試したところ、その2週間後に彼は1人で立ち上がれるようになりました。

結果的に彼はそれから1年半ほど生き延びることになり、私はその経験がきっかけとなり、さらに臨床を重ねた結果、このO-リングテストが医療の現場において有益な検査法たりうることを確信するようになったのです。

O-リングテストの有益性は私ばかりでなく、数多くの医師たちの追試と臨床においても証明されています。

福岡県久留米市の下津浦(しもつうら)内科医院はO-リングテストによる医療を専門にした病院であり、個人医院ながらCTスキャナーを据え付け、O-リングテストと最先端の西洋医学的検査法との両面から難しい病気に取り組んでいます。

その院長である下津浦康裕先生が１９９６年夏の「Ｏ－リングテスト医学会」で発表したところによると、１年余りの間に来院した患者について大腸のがん・前がん状態のＯ－リングテスト診断を行ったところ、８００人のうち大腸がんの反応が強く出た症例は１４６人に上り、合わせて２１７個の病変が見つかったそうです。

それを西洋医学における通常の診断技術で確認したところ、腺がんは１・５パーセントに過ぎませんでしたが、一般に前がん状態と考えられる大腸腺腫は54パーセント、過形成ポリープが33パーセント、炎症性ポリープが11パーセント見つかったといいます。

これらはいずれも前がん状態であり、２年から5年のうちに本物のがんに進む可能性がありますから、Ｏ－リングテストで早期発見できたことは非常に有益な結果であるといえるでしょう。

下津浦先生は１９９０年頃にも、胃がんの集団検診について同様の研究を発表しています。その結果は、平均で１０００人に1人という日本における胃がん発見率をはるかに上回る、１０００人に25人という発見率でした。これは、通常の検査では引っ掛からない、非常に早期のがんを発見できたからこその数字です。

Ｏ－リングテストの正確性を証明するこれらの研究の多くは、数多くの論文にまとめられています。私が初めてO-リングテストに関する論文を書いたのは、研究を始めて10年ほど経った1981年のことであり、それからたくさんの論文を書いてきましたし、また、O-リングテスト医学会のメンバーによる論文もたくさんあります。

1983年にはアメリカ特許庁に「O-リングテスト法の原理と応用」について特許を申請しました。そのときは「あまりにも空想的で夢のような申請内容である。常識で考えられないことについては、当方では評価できない」という理由で却下されましたが、それから3年間分の実験データを付け加えて再提出したところ、「パテントには普遍性が必要なので、ほかの人も同様にできなければ認可はできない。大学教授クラス10人以上が再現できれば審査を続ける」との返事を何とか引き出せました。

すでに当時はアメリカだけでなく、日本やヨーロッパでもO-リングテストの講習会を開いていましたから、そこに参加していた各国の教授たちからデータとコメントを集め、4年後に特許庁に再提出しました。

しかし、なかなか返事がこないので、さらに、東海テレビで放送されたO-リングテストに関する番組のテープに英訳した音声を私が吹き込んだものも提出したところ、それが良かったのか2ヶ月後に特許の内定通知が届きました。これが1991年のことです。

その後、最終的な申告書を作成して提出し、やがて公告。異議申し立てをする人はいなかったので、１９９３年2月23日付の特許公報に掲載されて、Ｏ－リングテストの普遍的知的所有権が認められました。

後日談となりますが、公報の出た翌日にワシントンの特許庁から電話があり、特許審査の責任者の上役であるビンセント・ミラン氏から個人的なお願いがありました。審査担当者であるという立場上、これまで連絡できなかったそうですが、シェーグレン症候群を患っている彼の妻をＯ－リングテストで診てほしいというお願いです。

シェーグレン病は治療が難しい病気とされていますが、私のＯ－リングテストに基づく処方によってミラン夫人はまもなく治りました。その後、夫妻はしばしば私のところを訪ねて研究の手伝いなどをしてくれています。

Ｏ－リングテストの原理についての仮説

Ｏ－リングテストはここでご紹介したわずかな症例以外にも、数多くの人々の病気を早

指
指
大脳の感覚野
大脳の運動野
指
指
テストするものを①触れる、②手に持つ、③指さす
指でつくったO-リングをパートナーが引いてテストする

大脳皮質の感覚野と運動野における体の部位の領域を示したもの。指が他の部位と比べて大きな領域を占めていることがわかります。

期発見したり、適切な薬の投与法を探り出したりして、その命を救ってきました。

そのように、指の握力の変化によって全身を検査できるのはなぜでしょうか？　それを理解するには脳と手の関係を知る必要がありそうです。

大脳皮質の感覚野ならびに運動野と、体の各部位とのつながりを図示したものを見ると、体のほかの部分に比べて手指が大きな領域を占めていることがわかります（前ページ）。つまり、**手は最も感度の高いセンサーになりうる**ということです。

さらに、私が開発し、米国の特許を受けた脳の血圧および血液測定機器による研究では、手の握力やO－リングの握力は脳の血液循環に依存していることが明らかになっています。つまり、O－リングの握力は脳の電気的・電磁場的な情報を伝える感度の高いセンサーでもあるのです。

2本の指で輪を作るといい理由も、電気的・電磁場的な側面から説明できます。指と指とをくっつけて双方の電位差をなくすことでセンサー機能を高めているのです。

それらの観点から、O－リングテストとは、脳がキャッチした体にとっての「プラス／マイナス」の体内情報を指の握力の強弱という形で判定するものだといえるでしょう。

人間や動物の脳は、神経系や免疫系などのネットワークを通じて体内の情報を収集してすばやく処理して判断し、さらに、全身の各部に指令を出しています。その判断には「体にとって有害なのか有益なのか」というものも含まれますが、それは必ずしも意識に上がるものばかりではありません。

文明が発達していなかった頃の人類は、生き残りのため、脳がキャッチした情報とその判断を直接意識できたようですが、現代人の多くはそれができないため、O-リングの握力の変化をセンサーとして脳の判断に意識を向ける必要があるのです。

脳が体内の情報を収集するメカニズムに関して、私は次のような仮説を立てています。

私たちの体を構成しているさまざまな分子は、各分子特有の周波数を持って振動して微弱な電磁波を発しており、正常な部分と異常な部分とでは異なる分子が異なる振動数を持っているので、電場や電磁場が異なっていると考えられます。そこで、その異常な部分に何か物を近づけるか触ると、微弱な電磁波の刺激を脳が感知し、その反応の結果としてO-リングの握力に変化が生じるのです。

このような電磁場の変化は、ある波長の光や電場、磁場を体の異常部分に当てたときにも起こり、それはO-リングテストで検知することができます。その現象を利用した応用的なO-リングテストの方法についてはすでにご説明した通りです。

◯「顔でわかる病気マップ」はこうやって作成された

先に説明したように、O-リングテストは圧痛点や臓器代表点といった東洋医学独自の概念をチェックする過程で生まれてきたものです。そして、第1章の「顔に表れる異常でわかる病気のマップ」や、第2章の「手の刺激で良くなる病気のマップ」もまた、そのような研究の過程で作成されました。

ここで、「顔に表れる異常でわかる病気のマップ」を例にとり、その作成過程を説明してみましょう。

たとえば、前頭部と臓器との関係を考えるとき、前頭部は「脳」に関係するとみなすのが常識的な判断です。前頭部の頭皮の奥には前頭骨があり、その奥には大脳が収まっているからです。

しかし、前頭部の毛髪の生えている上の方の領域をO-リングテストで調べてみると、そこと心臓の左心室との間で「同一物質間の電磁場共鳴現象」が起きることが確認されます。

前頭部の頭皮と左心室の心筋は同じ物質ではありませんが、そこに同一物質間に起きるものと同じ共鳴現象が起きるということは、その両者は何らかの関連性を持っているということになるでしょう。事実、左心室に異常があるときには、そこと共鳴現象を起こす前頭部の領域にもO - リングテストで異常が見られます。

そこで私は、O - リングテストによって臓器と対応する顔の代表領域を探り、正確な「顔に表れる異常でわかる病気のマップ」を作ってみようと考えました。

それは、各臓器の正常組織の標本を顕微鏡で見られるようにスライドにしたものを用いて、顔の各代表領域との間で電磁場共鳴現象が起きるかどうかをチェックしていくという方法で行います。つまり、特定の臓器の組織標本と特定の代表領域との間で共鳴現象が起きると、それはO - リングが開くという形で確認されるわけです。

このときには被験者と検者との間に第三者の助手をはさむ「間接法」を用いました。つまり、第三者の助手が片手に組織標本のスライドを持ち、その同じ手に持った金属棒で顔の特定領域に触れ、もう一方の手で作ったO - リングを検者が開こうとすることになります。

前頭部の左心室と共鳴する代表領域（左心室の代表領域）を例にとると、助手は心臓の左心室の組織標本のスライドを持ち、その同じ手に持った金属棒を被験者の左心室の代表領域に当て、私が助手のO－リングを開くように引いてその筋力の変化を確認するわけです。

そこが本当に左心室に対応していれば、「同一物質間の電磁場共鳴現象」によって助手のO－リングは開き、そうでなければO－リングは開きません。それによって、顔のどの領域がどの臓器に対応するか、ということを探りマッピングしていきます。

この説明ではたいした手間に思えないかもしれませんが、最初は顔のどの領域がどの臓器に対応しているのかまったくわからないので、すべての臓器を対象にチェックしていく必要があります。

これが実に手間のかかる作業であり、臓器によっては組織標本が入手できず、牛や豚など人間以外の動物の組織で代用したこともあります。また、そうやって特定作業を進めていきマップが埋まってきても、1人や2人を調べただけでは正確性に疑問があるので、たくさんの人で追試をする必要があります。

そういうこともあって結果的には、その「顔に表れる異常でわかる病気のマップ」の作成には15年間ほどの歳月を費やすことになりました。ただし、顔写真でも検査できることがわかってからは、マップを作成するためのデータ収集が大変はかどるようになります。

このことがわかったのは、ふと思い立って患者の写真そのものを対象にO-リングテストを行ったときに、実際の患者と同じ反応があることに気づいたことがきっかけでした。現代の科学ではまだうまく説明できませんが、写真にはその被写体に関する情報が入っているのです。

また、患者が書いたものにも情報が含まれていることがわかっています。これは文字でなくとも**1本の線でもよく、右手で書いたものからは胸郭を中心とした右半身の病気を、左手で書いたものからは胸郭を中心とした左半身の病気をO-リングテストで検査することができます。**

さらに、口の右側でペンをくわえて線を書くと右脳と口の右側の病気を、右足の指でペンをはさんで線を書くと右脚と右腹部の病気を検査できるのです。

このやり方が診断方法として有効であることを10年間ほどかけて検証できたので、数年前からはほとんどの患者に対して用いるようになりました。

試みに、歴史上の人物の書いた文字をO-リングテストで調べてみたこともあります。

たとえば、菅原道真（みちざね）が左大臣・藤原時平に讒訴（ざんそ）され、大宰府へ左遷されることが決まり、京の都を去るとき、「東風吹かば 匂ひをこせよ 梅の花 主なしとて 春な忘れそ」という歌を書きましたが、このときにはまだ健康で、がんの反応はありませんでした。しかし大宰府に左遷された時代に筆で書いた文字を調べると末期の前立腺がんであることがわかります。

また、織田信長も前立腺がんであったようです。その書が真筆であれば、この診断には間違いはないと思います。

◯安心してO－リングテストを受けていただくには

最初に特許申請をした頃と比べると、O－リングテストは格段の進歩を遂げました。臨床医が利用しやすいマニュアルも整い、日本では私の一番の弟子である下津浦康裕先生の献身的な努力によって1985年から、福岡県久留米市にある日本バイ・ディジタルO－リングテスト協会を通してO－リングテストのシンポジウムや講習会が東大、早大、昭和大学で頻繁に開催されて、医師や歯科医や鍼灸師、それから獣医師や薬剤師などがそこで技術の修得と研鑽に励んでいます。

さらに、1995年からは認定制度も発足し、日本バイ・ディジタルO-リングテスト協会のメンバーとして最低4年間、計150時間以上のトレーニングコースに出席した医師、歯科医、鍼灸師が、4時間の筆記試験と3時間の実地試験に合格すれば、バイ・ディジタルO-リングテスト認定医・認定歯科医・認定鍼灸師の各一段の資格をもらえるようになりました。さらに経験を積んで試験にパスすると二段、三段へと進むことになります。

これはそれぞれの専門分野でO-リングテストによる診療を行うために必要なトレーニングを受けたことを証明するものであり、患者には安心してO-リングテストを受けられやすくするものです。

一方、アメリカでは主にニューヨークで医師や歯科医のための講習会を開催しており、毎年10月半ば過ぎにはコロンビア大学で4日間にわたる鍼・電気治療の国際シンポジウムを開催し、そのうち1日はO-リングテストのシンポジウムとなっています。

なお、これらの講習会やシンポジウムは、いずれもアメリカ医師会（AMA）に医師の教育単位として認められています。

このように、医師をはじめとする医療従事者の中に、O-リングテストを行う人々は着実に増えていっていますが、中には講習会を数回受けただけで認定を受けることなくO－リングテストを診療に取り入れてしまったり、あるいは本で読んだだけで取り入れてしまうような人がいます。

一般の方がご家庭でO－リングテストを行うことはかまいませんが、病気の正確な診断をO－リングテストで行うには相応の知識と訓練が必要であり、本で読んで真似をしたり講習会を数回受けたりしただけでは、とうてい正しい診断はできません。

また、認定医の資格も経験も十分にないのに、「O－リングテストは正確だから西洋医学的な検査は必要ない」と主張した本まで書いて、本来必要な西洋医学的検査で確かめないで診療していた人や、O－リングの現象だけで「色の力でがんを治すことができる」と発言された先生がいました。日本バイ・ディジタルO－リングテスト協会としては西洋医学的検査で検証することを勧めました。

さらに見よう見まねのO－リングテストを使っているのにO－リングテストとは異なる名前を用い、十分な資格もなくトレーニングも受けていないのに人を集め、高い金を取って、日本だけでなく外国にも行って教えている人たちも日本に何人もいます。

確かにO－リングテストは、経験のある人がやれば正確度の高い診断法となりますが、日本バイ・ディジタルO－リングテスト協会では、西洋医学における一般的な検査も併せて行うことを義務づけています。

それから「色の力でがんを治すことができる」といった十分に検証されていない治療法を本にまで書いて主張するような人には、その明確な証拠を示してもらわねばなりません。例に挙げた人の場合、治ったという証拠を示すことができなかったので残念ながら多数決で除名処分としました。

日本バイ・ディジタルO－リングテスト協会の会員名簿は本書の巻末に掲載してあります。

全国どこでもO－リングテストの診療が受けられるというわけではありませんが、それは、信頼のおけるO－リングテスト医療を提供できる人を厳選した結果であるとご理解ください。

次章では、O－リングテストでわかった、長寿と健康を実現するための具体的な方法についてご紹介しましょう。

第4章　長寿と健康を実現する方法

◯健康の鍵「テロメア」、長寿の鍵「サーチュイン1」

Ｏ－リングテストの研究によってわかってきたのが、「テロメア」が健康に重要な働きをしているということです。

テロメアとは、細胞の染色体の両端にある一定の塩基配列が繰り返された構造です。これは、ひも状になったＤＮＡの両端がほぐれることを防ぐキャップのようなものであり、細胞分裂を起こすたびに少しずつ短くなります。

そのため、テロメアは生まれたときが最も長く、年を重ねていくと短くなっていきます。何度も細胞分裂を繰り返すことで短くなるのです。

そこで、テロメアは「生命の回数券」とも呼ばれます。細胞分裂のたびにその回数券がもぎ取られていき、それがある値以下の量まで低下すると細胞は分裂できなくなって、アポトーシスと呼ばれる細胞の死を迎えるのです。

一方、がん細胞の場合、そのテロメアが短くなるのを防ぐテロメラーゼという酵素が活性化することで、細胞分裂を何回繰り返してもテロメアは短くならず、細胞の死に至ることもありません。

さて、100歳以上の長寿者のことを英語で「センテナリアン（Centenarian）」と呼びますが、これまでは、正常細胞のテロメア量が大きい人ほど彼らのように長生きするケースが多いと考えられていました。しかし、私たちの最近の研究により、長寿者のテロメアの量は長寿とは比例しないことがはっきりわかってきました。

長寿に直接関与しているのは、テロメアではなく脳の海馬にある長寿遺伝子の1つ、「サーチュイン1（Sirtuin-1）」の量であることが、2011年になってわかったのです。

O－リングテストで調べると、生まれたばかりの赤ちゃんの正常細胞のテロメア量は1500ナノグラム（BDORT Units）以上もあり、細胞分解するごとにテロメアの量が減りますから、成長するにしたがってこの数値は減っていきますが、成人では100～200ナノグラム程度もあれば非常に健康だといえます。ただし通常、これくらいの量は20歳前後までの元気な人にしか見つかりません。

とはいえ、テロメアが健康に重要な働きをしていることに変わりはなく、その量が細胞の若さや生命力の強さ、健康状態を表す確かな指標となることは間違いありません。つまり、正常細胞のテロメアを増やしてその量を維持できれば、健康を実現できるといえるでしょう。

一方、テロメア量が5ナノグラム以下、特に1ヨクトグラム（1ナノグラムは10億分の1グラム、1ヨクトグラムは10のマイナス24乗グラム）以下になると何らかの異常を示し、それが続くとがん細胞が増殖しやすくなります。一般に、がん細胞のテロメア量は300～1000ナノグラムと非常に大きく、正常細胞の数十倍、あるいは数百倍にもなっていることが多いのです。

驚くのは、最近は若い人にもテロメア量が1ヨクトグラム以下という人が少なくないことです。これは、その人自身の体に異常があってそうなっている場合のほか、Oーリングテストでマイナスになるような下

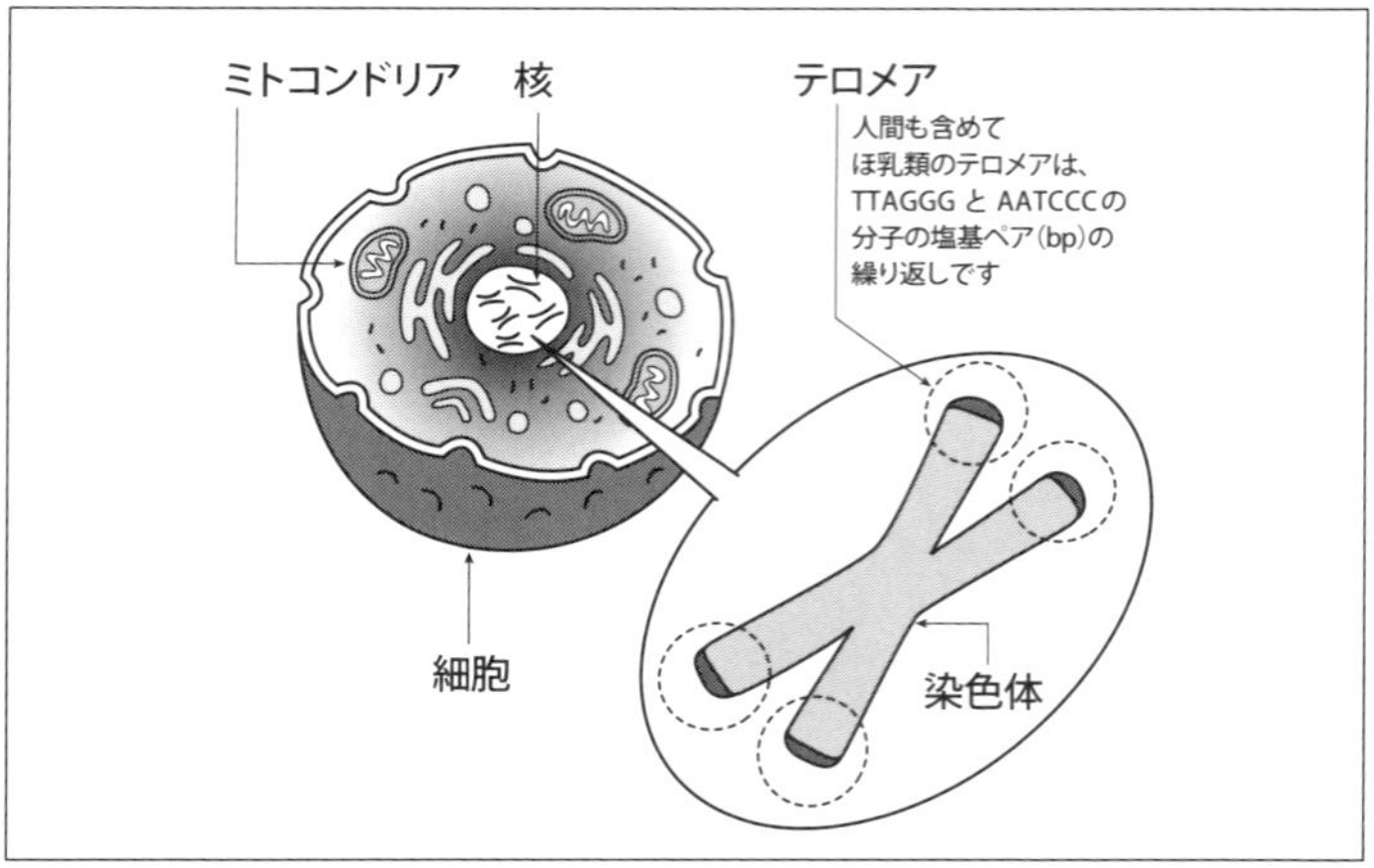
ミトコンドリア
核
テロメア
人間も含めて
ほ乳類のテロメアは、
TTAGGG と AATCCCの
分子の塩基ペア(bp)の
繰り返しです
細胞
染色体
染色体の両端（◌で囲んだ部分）がテロメア。正常の細胞では細胞分裂のたびに減っていき、やがて細胞は死に至ります。

着や装飾品を身につけていることや、携帯電話など電磁波を発するものを携帯しているこ と、それから、マイナスの反応が強い飲食物を摂っていることなども原因となります。

いずれの場合でも、低いテロメア量しか検出されない状態は良くありませんから、本来あるべき値を取り戻す工夫が必要です。その具体的な方法については、この章の後半でご紹介します。

なお、本書における「〇ナノグラムのテロメア量」という表現は、あくまでもO-リングテストで調べたときに、「〇ナノグラムのテロメアのスライド」を使ったときに最大の電磁波共鳴現象が起きるという意味であって、特定の重量あたりの含有量を示すものではありません。

そこで、論文などでこのような数値を表記するときには、バイ・ディジタルO-リングテストで調べた値という意味で「BDORT Units」を併記することにしています。テロメア量に限らず、O-リングテストでさまざまな物質を測定するときにもそれは同様です。ただし、文章の煩雑さを避けるため、これ以降、本書では「BDORT Units」という表記を省略する場合があります。

◯超長寿者と長寿遺伝子の関係

最近では、マサチューセッツ工科大学生物学部のレオナルド・ギャランテ教授が発見したサーチュイン遺伝子（長寿遺伝子）が長寿に関係するといわれています。

ギャランテ教授の研究グループは、まず酵母に存在するサーチュイン遺伝子を発見し、それを１９９０年代に発表。その後、哺乳類における7種類の長寿遺伝子が見つかり、その１つであるサーチュイン１が、長寿に関して特に重要であることがO－リングテストで確認されました。

世界最長寿者とされるフランスのジャンヌ・ルイーズ・カルマンさんは１２２年と１６４日間生きたそうですが、その彼女の写真をO－リングテストで調べたところ、脳の海馬のところでサーチュイン１が１００ピコグラム（1ピコグラムは1兆分の1グラム）の値で反応します。一般の平均値は5ピコグラム程度ですから、これは大変多い数値です。

そこで、１１０歳以上生きた超長寿者（スーパーセンテナリアン）を私が写真を使って脳の海馬で調べてみたところ、みな25～１００ピコグラムという高値を示しました。特にカルマンさんはその量が18歳から122歳まで一生を通じてほとんど一定であったことがわかりました。つまり、**海馬のサーチュイン1量が多いということが長寿の重要な条件であるといえそうです。**

これまでにわかったのは、100歳以上の長寿者（センテナリアン）の海馬には25ピコグラム以上のサーチュイン1が反応すること、そして、サーチュイン1が高い傾向は遺伝するということです。たとえば、昭和天皇と今上天皇はともに25ピコグラムの値を示します。膵臓がんにさえならなければ昭和天皇は100歳以上生きる可能性がありました。

ただし、結婚相手からの遺伝もありますから、親は高いけれど子どもは低いということもありえます。たとえば、私と弟は脳の海馬では100ピコグラム（BDORT Units）で、それ以外の体の部分では25ピコグラムで反応しますが、私の娘は海馬では10ピコグラムです。これは亡くなった妻の遺伝の影響でしょう。

脳の海馬のサーチュイン1が100ピコグラムある人の中には、CNNの人気キャスターで、自らゲイであることを公表したアンダソン・クーパーや、日本では非常に広範囲な分野で活躍され、「おくりびと」のようなユニークな映画の脚本も担当され、最近注目されている小山薫堂（くんどう）さんが見つかりました。小山さんの脚本の表紙の手書きの字からは海馬以外の体にサーチュイン1が25ピコグラムあることがわかりました。

また105歳になっても活躍されている昇地三郎・元しいのみ学園（福岡県）園長の海馬のサーチュイン1が50ピコグラムで、海馬以外の体の部分は10ピコグラムとわかり、手書きの字からは同じ10ピコグラムの反応が出ました。

なお、皆さんもよくご存じの著名な方の中では、聖路加病院の日野原重明先生も脳の海馬のサーチュイン1の量が100ピコグラムに達していました。

サーチュイン1量の多い人に特徴的なのは、常に行動的で頭の回転が良く、楽観的な性格であるということです。おそらく、日野原重明先生もそうでしょう。

また、放送大学の名誉学生であり常にコースを受講しているという80代の男性を写真を使って調べたところ、やはり25ピコグラムという比較的高い数値を示しています。

体のサーチュイン1の量は海馬におけるサーチュイン1の量の半分、ないし4分の1程度の値を示すのが一般的であり、人によっては5分の1の人も見つかっています。それが0・5ピコグラム以下であれば、がんやエイズ、あるいはアルツハイマー病などの難しい病気を患っている可能性があります。0・25ピコグラム以下であればその可能性はさらに高まるでしょう。

このサーチュイン1の量とテロメアの量とはある程度、相関関係にあります。

遺伝情報が記録されている23個の染色体のうち、サーチュイン1はその10番にあって、染色体の末端構造であるテロメアと隣り合っていることから、後者が増えることで前者が増えたり、後者が増えることで前者が増えたりする可能性があるのです。

その場合、正常細胞のテロメア量が減ると必然的にサーチュイン1量も減ることになりますが、実際には、テロメア量が減っているにもかかわらず、海馬のサーチュイン1が減らないことも多いようです。

いずれにせよ、テロメアとサーチュイン1の量が多いことは長寿と健康にとって大変有益に働きますから、日常生活の中のテロメア量を下げる要因をなるべく取り除き、同時にテロメア量を上げる要因を積極的に取り入れることが大切です。

それによって、健康体のまま長生きできるようになるでしょう。

◯電磁波はテロメアに悪影響を及ぼす

テロメア量を下げる日常的な要因としてまず挙げられるのが、喫煙やコーヒーの摂取です。たとえば、1杯のコーヒーは正常細胞のテロメア量を1ヨクトグラム前後にまで減少させ、その作用は4時間ほど続くものもあります。

これは、がん細胞のテロメア量を増やすことにもつながるので、がん患者の人がこのようなコーヒーを飲むことは、がんを促進させることになるでしょう。

ただし、すべてのコーヒーが悪いわけではなく、これまで調べたところではポルトガルのデルタという会社のコーヒーは正常細胞のテロメア量を上昇させることがわかっています。ブラジルのイグアス・コーヒーやアメリカのダンキンドーナツのコーヒーは正常細胞のテロメアを増やすだけでなく、抗クラミジア・トラコマティスにすぐれた効果があることも最近私が発見しました。また日本に帰国したときにジョージアのエメラルドマウンテンコーヒーを調べたところ、缶1本でテロメアが150ng上がることがわかりました。

緑茶でも同様のことがいえます。つまり、ある緑茶は1杯飲むだけで正常細胞のテロメア量は1ヨクトグラム以下となり、回復するまでに1時間余りかかります。しかし中にはテロメア量を増やす作用を持つ緑茶もあり、単純に「緑茶は良くない」とか「良い」とかはいえません。

O－リングテストで調べればその判断もつきますが、それができない場合、ここでご紹介する「テロメア量を下げる要因」をできるだけ避けることが大切です。

ただ、留意していただきたいのは、ここでいう「テロメア量」とはあくまでもO－リングテストでチェックした場合の数値（BDORT Units）であり、コーヒーを一杯飲んだために実際のテロメア量が即座に大きく変動する可能性もあるということです。

そこで、**O－リングテストで検出されるテロメア量の増減は、その人の健康度や特定の物質がテロメア量に与える影響を推し量る指標である**と考えればいいでしょう。

さて、そういった意味でのテロメア量を近年激減させているものとして電磁波が挙げられます。10年くらい前であれば、健康な人のテロメア量は１００ナノグラム以上はあったものですが、子どもから高齢者までみな携帯電話を持っている現在では、５～15ナノグラムもあればいい方で、２００ナノグラム以上の人ともなるとまれにしか見つかりません。

その電磁波の害を避けるには、携帯電話をなるべく身につけずバッグなどに入れておき、家では電磁波のプロテクトされた固定電話を使うようにして電波を出さない状態にしておくことです。それでも通話時には電磁波を避けられませんから、その場合には**電磁波を吸収する金属の合金を応用した「ＥＭＦ（電磁場）ニュートラライザー」**というものを使用するといいでしょう。

ＥＭＦニュートラライザーはいくつかの会社が製造販売していますが、Ｏ－リングテストで調べた結果、その効果はそれぞれ異なるようです。今まで調べた製品の中で一番よかったのは米国の Aulterra 社のＥＭＦニュートラライザーで、効果が最も高くて扱いやすく、いろいろな電気製品（コンピューターやプリンター、テレビ、電子レンジ、固定電話や携帯電話等）に貼りつけやすく、また必要な大きさに自由に切ることができるのも魅力です。質の良い製品について詳しく知りたい人は日本バイ・ディジタルＯ－リングテスト協会にお問い合わせください。

日常生活において電磁波を受けやすいものとしてはほかに、テレビやコンピューター、プリンター、電子レンジ、それからスプリング式のベッドなどがあります。

テレビは十分離れて見ること、電子レンジについても使用時には６～８メートル以内に近づかないことで、ある程度まで害を避けられますが、これらにもやはりニュートラライザーが有効です。

電子レンジで調理したものについては、調理直後には温めた食物の上の中心部に強いマイナスの反応が見られますが、2~3分経つとその反応が消えるので食べても大丈夫です。

一方、スプリング式のベッドについては、上を向いているスプリングの突起などから微弱ながら高い周波数の電磁波が出ており、体内の細胞に水銀などの有害金属が沈着していると、それがアンテナの役目をして電磁波を集中させてしまいます。

その影響は微々たるものですが、毎日何時間もその上に寝ることを何年も繰り返していれば、実際のテロメア量を減らすだけではなく、病気につながる可能性もあります。

そのような電磁波はアルミ箔である程度まで遮断することもできます。しかし、できればスプリング式のベッドそのものの使用を避けた方がいいでしょう。

なお、電磁波の一種である放射線にも当然良くない作用があります。

たとえば、2011年の秋に日本を訪れたとき（著者は普段は米国在住です）、飛行機の中で歯が折れるというトラブルが私の身に起きた際にもそれを確認することになりました。

成田空港に着くなり懇意の医科歯科大学の教授に連絡を入れて、治療してもらいましたが、そのときにレントゲンを撮ったことで本来100ピコグラムあるはずのサーチュイン

1量が口腔の組織では25ピコグラムにまで減っていたのです。おそらく海馬でも同様の反応が出たはずです。

6時間後に調べてみると75ピコグラムまで回復。さらに6時間後では口腔の患部周辺では100ピコグラムに戻っていましたが、なぜかレントゲンを撮った側とは逆の口腔は12時間後でも75ピコグラムのままでした。歯の一部に使われている金属が反対側には多かったのかもしれません。

いずれにしても、強い放射線がテロメアやサーチュイン1の量に悪影響を与えることは明白であり、何らかの理由で放射線を浴びてしまった場合には、後にご紹介するテロメア量を上げることをした方がいいでしょう。

テロメアを下げる数々の要因

そのほか、テロメアを下げるなど体にマイナスの働きをする要因について、いくつかご説明しておきましょう。

有害金属

体内に摂り入れられた水銀、鉛、アルミニウムなどの有害金属は、電磁波を集中させるアンテナとなります。また、有害金属の蓄積に加えて、細菌（結核菌、クラミジア・トラコマティス、ボレリア・ブルグドルフェリ、ヘリコバクター・ピロリ）やウイルス（サイトメガロウイルス、ヒトヘルペスウイルス6型）、あるいは菌類（カンジダ・アルビカンス）などの感染、それからアスベストの沈着があると、アルツハイマー病など脳の萎縮を引き起こすことがあります。

Oーリングテストで調べると、水銀のような有害金属の沈着がある部位に細菌やウイルスの感染があると、抗生物質が効きにくくなることがわかっています。またそのような状態が、がんや心臓病、動脈硬化、糖尿病などの一因になっていることもわかってきました。

特に問題なのは、歯科治療の充填（じゅうてん）剤に使用されるアマルガムです。アマルガムの50パーセントは水銀ですから、熱いものを口にすると表面の水銀が蒸発して肺や食道に入ることになります。

人工甘味料（アスパルテーム）

ダイエットを謳（うた）った清涼飲料水に含まれている人工甘味料のアスパルテームには、テロメア量の低下、海馬の血液循環の低下、神経伝達に必要なアセチルコリンの減少などの作用が確認されており、そのことから、体全体に有害であるばかりでなく記憶力の低下にもつながってくるといえます。

このほか、サッカリンカルシウムやスイート・アンド・ローといった人工甘味料も、やはり脳にマイナスの影響をもたらすことがO－リングテストで確認されています。

こういった人工甘味料は糖尿病の治療食に含まれていることがあり、それを口にすると、かえって病状を悪化させてしまうことになるので注意が必要です。

この問題の解決策の1つとして、アメリカでは最近、ステビアという植物の葉から抽出した、砂糖よりずっと甘くカロリーも少ない甘味料を多くの人々が使い始めています。

ステビアをO－リングテストで調べたところ、脳の海馬に対しても害を及ぼさないことが確認されました。

その他の食品

一般的にはオーガニック（有機栽培）の食品が体に良いとされていますが、Ｏ－リングテストで調べてみるとマイナスの反応になることも多く、「オーガニックが健康的で安全」とは必ずしもいえません。

また、通常はＯ－リングテストでプラスの反応になる食材であっても、処理の仕方によってはマイナスの反応を示します。

たとえば、レッドグレープフルーツをＯ－リングテストで調べると、ほとんどの場合は強いプラスの反応となり、テロメア量を上げる作用も確認されます。しかし、私が宿泊したあるホテルの朝食で出てきたものはなぜかマイナスの反応を示しました。おそらく、鮮度の低下したものか、何か問題のあるもので洗ったせいだと思い、代わりのものを持ってきてもらうとそれはプラスの反応でした。

このように、食品に関しては個々の食材をＯ－リングテストで調べてみないことには正確なところはわからないわけですが、これまで調べた範囲でいえるのは、カイワレ大根や七味トウガラシ、和カラシなどに関しては、そのほとんどがＯ－リングテストでマイナスの反応になるということです。ただし、同じカラシでもマスタードに関してはプラスになるものもあります。

遺伝子組み換え食品についてはまだ十分に調べていないので確かなことはいえませんが、これに関して1つ興味深い話があります。

2000年頃まで、C社（世界的に有名な清涼飲料メーカー）のコーラ飲料のうち、人工甘味料を使わない伝統的な製品はすべてO－リングテストでプラスの反応を示していましたが、最近の製品はすべてマイナスを示すようになりました。

ところが、米国のあるファーストフードのチェーン店で出される、同社のクラシックのコーラ飲料だけは依然としてプラスの反応を示すのです。

どうしてこのような違いが出るのか疑問でしたが、聞いた話では、そのチェーン店で出されるものには天然の糖が使われている一方で、市販の製品には遺伝子組み換えの材料による糖が使われているとのことです。おそらく、その違いが、O－リングテストの反応の違いとして表れているのでしょう。

そういうこともあり、おそらく、遺伝子組み換え食品の多くは、体に良くない作用があると考えられているようです。

なお、水や食品に含まれるアスベストも人体にとって大変な害を及ぼしますが、これについてはこの後で改めてご説明します。

衣類

Ｏ－リングテストでマイナスの反応を示す衣類を身につけることで、テロメア量の低下や健康状態の悪化を招く可能性があります。

静電気の発生しやすい一部の化学繊維、大部分のブルージーンズ、多くの黒色の衣服、服の内側についているタグ、ワイヤーや金具の入ったブラジャーなどの衣類は避けた方が良く、特に直接肌に触れるものについてはタグを取り外すなど注意を払うべきです。

何らかの病気を持つ人は、Ｏ－リングテストでプラスを示すものだけに限った方がいいのですが、市販のものにはあまり良い選択肢がないかもしれません。

たとえば、一般的なブラジャーの95パーセントはマイナスの反応を示すことから、乳がんの人などの場合、ワイヤーのあるなしを問わず、ブラジャーを着けないことが最善の選択ということになります。また、健康な人であっても、自宅など着けなくてもよい状況ではなるべく着けないでいることです。

靴下についても状況は似ており、以前、台湾の専門店で1000種類以上の靴下をチェックしたときにはプラスの反応が出たものはたった3足のみという結果になりました。このような場合、自分に合う靴下を探すのは至難の業ですから、不要なときにはなるべく靴下をはかないというのが最善の選択肢ということになるでしょう。

また、ズボンや下着などは、なるべくルーズなものの方が肌に触れる面積が少なくなるのでより良い選択となります。

素材に関しては、コットン素材の衣類は比較的プラスとなりやすいのですが、染色や漂白などによって強いマイナスになってしまうこともあります。特に黒い服は強いマイナスを示すものが多いので、できるだけ着ないでください。

2011年に亡くなったアップル創業者のスティーブ・ジョブスは黒いタートルネックの服とブルージーンズを愛用していたようですが、彼の写真でそれらの服を調べると、強いマイナスを示していることがわかります。

おそらく、その服を愛用していたことで正常細胞のテロメアは0近くとなり、一方でがん細胞のテロメアは常時増加させることになり、膵臓がんを促進させてしまったのではないかと思います。

なお、Ｏ－リングテストでプラスとなる衣類であっても、Ｏ－リングテストでマイナスの反応を示す洗剤で洗濯し、それが洗濯後に生地に残留していると、体に対してマイナスの働きを示すことがあります。

それと同様のことが髪を洗うシャンプーやコンディショナーについてもいえます。つまり、Ｏ－リングテストでマイナスとなるシャンプー（ほとんどのシャンプーがマイナスになります）で髪を洗うと、治療のために服用している薬の成分が脳に入っていきにくくなることがわかっています。

体に触れるものという点では、ベッドシーツや枕などもＯ－リングテストでチェックした方がいいでしょう。最近のアメリカのホテルにある枕の大部分は、Ｏ－リングテストでマイナスのものに変わってきています。

その他身に着けるもの

特に金属で作られたネックレスやイヤリング、ブレスレット、ヘアピン、バレッタ、ブローチなどの多くはＯ－リングテストでマイナスとなるため付けない方がいいでしょう。ベルトについても、穴に通す金具の先端が体の中心に向いているものは良くありません。

また、指輪はすべてマイナスを示し、特にがんの人や心臓の問題を抱える人が指輪をすると患部に強いマイナスの反応が現れます。

ただし、私の研究の結果、**輪が閉じておらず一部が開いているものは問題ないことが多いので、どうしても付けたい人はそのような指輪を選ぶか、指輪に切れ目を入れて1ミリ以上の隙間を作るといいということがわかってきました。**

それにより害がなくなるばかりでなく、むしろ体にとって良い働きとなることがわかってきたのです。このことは論文でも発表しています。

メガネをかけている人は、ノーズピースやイヤーピースの素材がO－リングテストでマイナスを示したり、金属製のフレームであったりする場合には体に良くない作用を及ぼす可能性があります。ただし、**メガネの肌に触れる部分をアルコール消毒するとマイナスの反応が消えることがあるので、消毒を心がけるというのも対処法としては有効です。**

コンタクトレンズに関しては、ソフトコンタクトレンズを装着すると、必ずテロメアと長寿遺伝子サーチュイン1の量が低下して、薬が効きにくくなることや、がん患者ではがん細胞の分裂を促進することが私たちの研究でわかってきました。ハードコンタクトレンズについては調べたことがありませんが、おそらく同様の作用を持つものと思われます。

靴に関しては、靴下を履いている場合には直接肌に触れることがないので、そう気にする必要はありません。

なお、女性の場合、Ｏ－リングテストでマイナスになる生理用品（ナプキン、タンポンなど）の使用を続けていると、婦人科系の病気のリスクを高めることがわかっています。

これら、テロメアを下げるなどのマイナスの働きをする要因が生活の中に数多くある場合、がん細胞のテロメアは増える一方となり薬は効きにくくなります。健康な人はがんをはじめとする難しい病気にかかりやすくなり、すでに何らかの病気を患っている人は病状を悪化させることになるでしょう。

Ｏ－リングテストでマイナスになるものすべてを排除することは難しいかもしれませんが、少しでも改善していくことで長寿と健康に近づくのですから、一度、ご自分の生活環境を見直してみてください。

第５章にＯ－リングテストのやり方を掲載したので、それが参考になると思います。

◯検出しにくいアスベストが体を蝕(むしば)んでいる

今、私が危惧している大きな問題がアスベストの害です。そこへ目を向けるきっかけとなったのは「9・11テロ」でした。

あの出来事があったとき、私はニューヨークにいました。次の日の新聞には世界貿易センタービルの崩落に伴うダストで真っ白になった街の写真が掲載され、それをO－リングテストで調べてみると、そこには大量のアスベストが含まれていました。

アスベストは肺に吸い込まれると肺がんや悪性中皮腫(ちゅうひしゅ)を引き起こす物質ですから、それが大量に撒き散らされたというのは大変な事態です。そこで、「これはO－リングテストで一度きちんと調べてみよう」と考え、その研究に取り組むことになりました。

アスベスト（石綿）は、防火性能の高いシーリング材として米海軍で使われたことに端を発し、戦後には一般の建物にも広く使われるようになります。公式には、1940年以前の建築物にアスベストは使われていないとされていますが、実際には使われていたようで、築100年も経っている私のマンションにも使われています。

というのは、以前、天井のシーリング材が剥がれて落ちてきたことがあり、それを2～3時間かけて掃除しているときに、急に喘息を発症したことがあるからです。Oーリングテストで調べてみると、剥がれ落ちてきたガレキの中に大量のアスベストが存在していました。

また、ある歯科医がオフィスを広げるときに、天井のシーリング素材の2種類のサンプルを調べてみたところ、その両方にアスベストの反応があったそうです。

現在、建材へのアスベストの使用はアメリカでは禁止されているのに、どうしてこのような反応が出るのでしょう。それは、ある程度の大きさの結晶（繊維）を成しているアスベストだけが害になるという考えから、小さな結晶、あるいは小さくて結晶に見えないアスベストについてはその存在自体を無視してしまっているからです。

たとえば、アメリカのEPA（環境保護庁）の基準では、長さ10マイクロメートル（100万分の1メートル）以上の結晶になったものだけをカウントすればいいとされています。つまり、それ以下の大きさのアスベストであれば大量に含まれていたとしても「未検出」とされてしまうのです。

しかし、1ミクロン以下と結晶がはっきり見えないほど微小でシャープな、角のなくなったアスベストは、体内を自由に動きやすいため、肺がんや悪性中皮腫以外の健康問題を引き起こす可能性があります。たとえば、水道水やミネラルウォーターの一部にはアスベストが含まれていることがO－リングテストでわかっていますが、その結晶は1マイクロメートル以下であるため、既存の検査法では検出が困難です。

以前、O－リングテストでアスベストが検出された水を検査機関に持ち込んで調べてもらったこともありますが、やはり、そこではアスベストを検出できませんでした。

アスベストは水に不溶性なので化学的な手法では検出できず、1リットルほどの水を蒸発させて後に残ったものを電子顕微鏡で調べて結晶を探すという方法をとることになります。ところが、この方法では電子顕微鏡で結晶を確認できない大きさのアスベストは不純物と見なされて検出されないので、実際にアスベストがそこにあったとしても、「アスベストは存在しない」という間違った結果を出してしまうことがあるのです。

しかも、O－リングテストと違って、このやり方では人間の血液中に含まれるアスベストは調べられません。なぜなら、1リットル（1000cc）もの血液を検査のために採取することは普通はできないからです。多くの化学検査で取られる血液の量は多くても50cc以上になることは少ないのです。

Ｏ‐リングテストでわかった深刻なアスベスト汚染の現状

アスベストに関しては肺がんや悪性中皮腫ばかりが問題視されていますが、Ｏ‐リングテストで調べたところ、**脳腫瘍も含めてすべてのがんやアルツハイマー病、自閉症など、さまざまな病気の重要な原因の一つとなっていることがわかりました。**

アスベストの異常な蓄積、特に０・12ミリグラム（BDORT Units）以上の蓄積で起きると考えられている病気には次のようなものがあります。

悪性中皮腫と肺がん、がんを含むすべての悪性腫瘍、心臓血管疾患、アルツハイマー病、自閉症、白内障の一部、線維筋痛症を含む難治性の慢性疼痛、特定の感染による難治性の関節痛、電磁波過敏症、閉経後の女性ののぼせ、部分的な頭部の脱毛、慢性の皮膚刺激、感染症の再発、アトピー性皮膚炎、目の下の皮膚の慢性的な黒ずみ、モルゲレン病……など。

特に、がんの組織には例外なくアスベストが反応することから、体内にアスベストが蓄積するとがんのリスクを高めるといえるでしょう。

現在、アメリカでも日本でもアスベストを建材に用いることは禁止されており、古い建物を取り壊すとき以外にはアスベストの健康被害を心配する必要はないというのが一般的な認識です。しかし、先ほども触れたように、水道水や市販のミネラルウォーターにはアスベストが含まれていることがあり、実際には数々の食品にも含まれています。

以前、アリゾナのフェニックスという場所で50人以上の医師や歯科医を集めたOｰリングテストの講習会が開催されたことがあります。そのとき、私の助手の体を調べると、いつもはOｰリングテストでプラスとなる全身が、強いマイナスになっていたことがあります。

いったいどうしたのかと思いOｰリングテストで探ってみると、ホテル備え付けのミネラルウォーターを飲んだことが原因でした。それはアリゾナなど西海岸の方ではよく飲まれているブランドのものでしたが、Oｰリングテストでは大量のアスベストが検出されたのです。

また、最近、アメリカで診た自閉症の子どもの家族も、アリゾナ州フェニックスのあるホテルで無料で部屋に出されているアスベスト入りの水と同じブランドのミネラルウォーターを飲んでいたことがわかりました。

一方、東海岸の方でよく飲まれている有名ブランドのミネラルウォーターを調べてみると、それもまたアスベストを含んでいました。そのブランドはニューヨークで消費されるミネラルウォーターの半分のシェアを得ています。おそらく、環境中に存在するアスベストが混入した結果、そのようなことになっているのでしょう。

アスベストが含まれる可能性の高いものを以下に挙げておきます。

部屋の壁や天井の素材

建材へのアスベスト使用が禁止された以後の建築物であっても、基準外の小さな結晶のアスベストが混入している可能性があります。

２０１１年の東日本大震災では古い建物からのガレキが大量に生じたため、これが環境中に拡散することによる二次的な健康被害などが危惧されます。

水道水、ミネラルウォーター

アスベストを含む地層を通った水には大量のアスベストが混入する可能性があります。

それは水道水でもミネラルウォーターでも同じことです。水道水の場合、アスベストの混入したセメントでできた水道管にヒビが入っていると、そこを通ってきた水にアスベストが混入することもあります。

以前はフランス産の有名なミネラルウォーターがアスベストを含んでいないことがわかっており、安心して勧められましたが、今ではその製品の一部がアスベストに汚染されています。日本のスーパーマーケットでもミネラルウォーターをチェックしたことがありますが、やはり、アスベストが混入しているものがいくつもありました。

今のところアスベストの混入が確認されていないのは「クリスタルガイザー」という製品です。今後の混入の可能性についてはわかりませんが、とりあえず現時点では安心して飲んでいいでしょう。

卵の黄身、アーモンド、一部のショウガ

O-リングテストで調べたところ、卵の黄身に大量のアスベストが入っている場合が多いことがわかりました。たとえば、ニューヨークで入手できる卵では、その80パーセントからアスベストが検出されます。

また、多くのアーモンドにアスベストが含まれているほか、アメリカ産や中国産のショウガの一部にもアスベストが含まれていることが多いようです。ただし、日本で一般的に使われているショウガからはあまり検出されません。

がんの一因となるアスベストが何を通じて体内に入ってくるのかを徹底的に調査したところ、これらの食材を通じて体内に入ってくるケースが多いということが判明しました。

入れ歯

入れ歯の支えの部分にアスベストの反応が見られることがあります。

私の弁護士は行動的で頭の回転が良く性格も楽観的――という、いかにも長寿遺伝子サーチュイン1量の多いようなタイプでしたが、調べてみると5ピコグラムしかありません。そこで、原因を探ってみると入れ歯のところにアスベストが反応したので、その入れ歯を取り除いたところ、すぐに50ピコグラムの値を示すようになりました。

応急処置としては、**メガネなどを洗うのに使う小型の超音波洗浄装置で入れ歯を5～10分間ほど洗浄する方法があります。これにより一部の入れ歯に関しては、アスベストの反応が0・01ミリグラム前後に減るでしょう。**

その後、口の中に戻すと、病巣部に見られるアスベストの反応が直ちに改善する場合があります。

ただし、入れ歯の一部にアスベストが混入しているものは、頭痛を起こしたり、脳腫瘍の一種である退形成性星細胞腫(たいけいせいせいせいさいぼうしゅ)（Anaplastic Astrocytoma）の原因になったりする可能性があるので、使わないことがその一番の予防となります。

◯シラントロ（香菜）がテロメア量を増やし、アスベストを排出する

これまで調べたところでは、正常細胞のテロメア量を５００ナノグラム以上にすると、がん細胞のテロメア量はほとんど０(ゼロ)近くまで低下して細胞分裂ができなくなります。また、体内の循環が良くなって、有害金属やアスベスト、病原性の細菌やウイルス、カビなどが尿と一緒に体外へ排出されます。

そのため、これを常に持続することで、がんの発生や進行の抑制につながるでしょう。

ただし、テロメア量を減らす要因をなくすだけでは、５００ナノグラムに達することは

大変難しいので、その一方で**テロメア量を増やす工夫が必要となります。その工夫の1つがシラントロの摂取です。**

シラントロとは中国パセリ、あるいは「香菜」と書いて「シャンツァイ」「コウサイ」ともいう香味野菜であり、東南アジアの料理に使われることの多い食材です。

私がその効能に気づいたのは偶然の出来事からでした。

1995年の春に私は、心臓スペクト装置というものを使った検査を受けたことがあります。私はO－リングテストばかりでなく心臓病の研究者でもあるので、後学のために新しい検査法を体験しておこうと思い、自分の心臓には自信がありましたが、試しにその検査を受けてみたのです。

ところがその検査で注射した放射性タリウム201が問題でした。2週間後には体内からの放射線はほとんど検出されなくなりましたが、O－リングテストで調べてみると、体内に水銀が溜まっています。

これは、おそらく放射性タリウム201の原子核崩壊で生じたものでしょう。ニューヨークのマウントサイナイ病院に勤める放射線科助教授の友人に確かめると、確かにその通りだといいます。

検査の副作用で体内に水銀が沈着するのは困ります。私はその水銀の排出を促すような薬を探して服用してみましたが、あまり効果はありません。

しかし、そんなときに新たな発見の機会に恵まれたのです。

ある週末にニューヨーク・ダウンタウンの友人宅で〆切の迫る論文を終わらせようとして、夕食の時間になり、外へ食事に行く時間がなかったので出前を取ったことがあります。その近隣で出前に応じるのはベトナムレストランだけでしたが、たまには変わったものを食べてみようということになり注文することにしました。

やってきた料理のメインは、香りの強い野菜がたくさん入った麺類です。とてもおいしかったのですが、それよりも驚いたのは、その翌日に私の体内の水銀量が急激に減っていたことです。

どうやら前日の麺料理が良かったのではないかと考えて、中に入っていた食材を思い返してみると、普段私が食べないようなものが思い当たりました。スープの中に入っていた香りの強い野菜です。

出前を取った店に電話をして尋ねると、それは中国パセリ（シラントロ）であり東南アジアの料理によく使われているものだ、といいます。そこで、私は自分でもシラントロを買って調べてみたところ、食べて2時間後ぐらいから尿の中に水銀が排出されるようになり、その効果は8時間ほど続くことが明らかになりました。

Oーリングテストを用いているほかの医師たちに追試をしてもらったところ、やはり同じ結果が出ます。また、水銀ばかりでなくそのほかの有害金属やアスベストの排出を促すこともわかってきました。さらに、体内のテロメア量も効果的に上げてくれるのです。

このようなアスベストの問題については国際的にも注目を集めているようです。

私が座長を務めたコロンビア大学での鍼・電気治療の国際シンポジウムに参加したイタリアのトリノ大学の病理学の教授が、私のオフィスに弁護士と一緒に訪ねてきたことがあります。話を聞くと、彼らは自国におけるアスベスト被害を危惧しており、アスベストに関する法律を変えたいとのこと。

そこで、アスベストの健康被害に関するデータを私がたくさん持っているので、そのアスベストに関する論文をイタリア語で本として出版することにぜひ協力してほしい、という話です。

彼らの体を調べてみると、やはり体内に大量のアスベストがあります。そこで、その場でシラントロをサプリメントの錠剤にしたものを摂ってもらったところ、3時間後にはO

ーリングテストに反応するアスベスト量が10分の1になりました。

そのように大変有益なシラントロですが、ベルガプテンという微量の毒性成分が胃に良くない作用を示すので、生ではなく刻んで煮てから摂取した方がいいでしょう。煮ることでその成分は蒸発しますし、また、シラントロの金属排出作用を妨害するビタミンCが熱によって破壊されるので、より良い効果を引き出すことにもつながります。

シラントロを毎日摂るのは難しいので、Oーリングテスト医療ではシラントロのサプリメントを推奨することがあります。私のレポートで知って、シラントロのサプリメントを製造販売している会社はいくつかありますが、生のシラントロから成分を抽出しているメーカーが多く、これでは金属やアスベスト排出の用を十分には果たしません。アルコールで生のシラントロから抽出した液体として売られているものはOーリングテストで強いマイナスのものが多いので、害になる可能性があります。

そこで、私は日本の製薬メーカーに依頼して、いったん加熱したシラントロをサプリメントに加工してもらっています。その製品の詳細に関しては、バイ・ディジタルOーリングテスト協会にお問い合わせください。

◯長寿と健康に効く「ABCトリートメント」

これまでの研究によって、シラントロ以外にもりんごやバナナなどに正常細胞のテロメア量を上げる作用があることがわかっています。そこで、**りんご（Apple）、バナナ（Banana）、シラントロ（Cilantro）の頭文字をとって「ABCトリートメント」と名づけ、主にがん患者などにその摂取を勧めてきました。**

このABCトリートメントにより正常細胞のテロメア量を十分に上げると、抗がん剤の副作用を抑制する作用も期待され、しかも、自然の食品の組み合わせなので副作用の心配はありません。

正常細胞のテロメア量が1ヨクトグラム以下であるような場合でも、りんご1個とバナナ1本を摂ると375ナノグラムほどテロメア量が上昇します。ただし、このテロメア量は3～4時間ほどで半減してしまいます。

また、先ほどもご説明したように、抗がん作用を期待するには正常細胞のテロメア量を500ナノグラム以上に上げる必要がありますから、りんご1個とバナナ1本だけでは、その量に少し足りません。

そこで、シラントロのサプリメントをそこに併用することになります。その適量を併せて摂取することで、正常細胞のテロメア量は４００ナノグラムに増え、その効果はりんごとバナナだけのときよりも長く持続します。

ただし、これでも５００ナノグラムには少し届かないので、**結論としては、りんご１・５個とバナナ１・５本、シラントロの錠剤を一度に摂るのがいいということになります。これを１日に３～４回繰り返して摂りますが、さすがにりんごとバナナはそういくつも食べられませんから、より摂りやすくするためにジュースにするといいでしょう。**

注意してほしいのは、りんごとバナナのうち青いものにはテロメア量を上げる作用はなく、逆にテロメア量を下げる作用となることです。青いものであっても熱湯で一度煮るとテロメア量を上げる作用が引き出されますが、基本的には、**りんごの場合は赤りんごを、バナナの場合はよく熟れたものを摂るようにしてください。**

りんごは皮が赤黒いくらいに色の濃いものが良く、アメリカの「ブレイバン」という品種が最も効果的です。次にいいのは「レッド・デリシャス」や「フジ」など。これらの皮や種を取ってそのまま食べるかジュースにして飲むと、１００グラム摂取につき正常細胞のテロメア値が150ナノグラム上昇します。

また、**乾燥させたりんごチップスやバナナチップスにもテロメア量を上げる作用があるので、生のものが入手できないときには、それぞれ5～6枚食べるという形で代用できます。**

なお、りんごとバナナが健康に良いといっても、当然ながらそればかりを食べていては栄養のバランスが崩れてかえって問題となります。ABCトリートメントは通常の健康的な食生活を補完し強化する目的で行うものですから、そこをよく理解してください。

それから、先ほどご紹介した「テロメア量を下げる要因」を改善しない場合、ABCトリートメントの作用が十分に発揮されないことがあります。テロメア量を効果的に増やすには、プラスの要因を加えるばかりでなく、マイナスの要因を極力排除することも大切です。

◯テロメア量を上げるそのほかの方法

りんご、バナナ以上にテロメア量を上げる果物にマンゴーやパパイヤ、ニガウリ（ゴーヤ）などがありますが、これらは日常的には摂りにくいので、通常は、入手の容易なりんごとバナナにシラントロのサプリメントを加えたＡＢＣトリートメントを勧めています。

ただし、**極端に正常細胞のテロメア量が低下している場合には、バナナ（Banana）、ニガウリ（Bitter melon）、シラントロ（Cilantro）による「ＢＢＣトリートメント」の方がいいでしょう。**生のニガウリには50グラムの摂取でテロメア量を５００〜６００ナノグラム以上も上げる作用があるからです。

ただし、種が赤くなったものは新鮮ではなく、逆にテロメア量を下げる作用となるので注意してください。

ニガウリは生のものが高い効果を持ち、摂取後上がったテロメア量は3時間ほどで半分近くまで低下します。そこで、３時間ごとに摂るのがいいということになりますが、摂りにくければ、りんごやバナナと一緒にジューサーにかけ、粘り気をなくすために水を、苦味を緩和するためにサボテンからとったハチミツなどを加えて飲むといいでしょう。

また、ニガウリの乾燥粉末も市販されていますから、そういったものを利用すると摂取しやすいと思います。

成人の場合、生のニガウリ40〜50グラムか乾燥粉末のニガウリ5・5グラムほどを、6時間おきを目安に毎日摂取すると、体内の有害金属やアスベスト、病原性の細菌やウイルスなどが尿と一緒に体外へ排出されます。

その結果、2週間以内に、高血圧の人は血圧が下がったり、糖尿病の人は血糖値が下がったり、がん患者の人はがん細胞の分裂が停止したりします。また、アルツハイマー病では発症3年以内の患者では記憶などの改善が見られるでしょう。

ただし、治療を目的としてテロメア量を上げる場合、「ABCトリートメント」にせよ「BBCトリートメント」にせよ、毎日数時間おきに摂取するやり方では、患者にはかなりの負担となってしまいます。

そこで現在、O-リングテスト医療でテロメア量を上げる1つの手段として用いているのが、副腎皮質で作られる「DHEA」（デヒドロエピアンドステロン）というホルモンです。

これまでの研究では、**適量のDHEAは1回摂るだけでテロメア量が500〜525ナノ**

グラムまで上がり、しかもその効果は、ビタミンCを多く含むものを摂らないようにすると、数週間からまれには1年間近く続く可能性があることも明らかになっています。

ただし、ＤＨＥＡはＯ－リングテストで適量を正確に見極めて摂取することが絶対条件です。一般の医師にも若返りを目的にＤＨＥＡを処方する人がいますが、投与量が多すぎるため、かえってテロメア量を低下させる結果を招いています。ＤＨＥＡは多すぎると体にとって害となるのです。

ＤＨＥＡと同様にテロメア量を増やす作用が確認されているものに、アストラガラス(Astragalus)があります。これは黄耆(おうぎ)として知られる漢方薬であり、長寿と免疫力のために昔から、その硬い根を薄く切って煎じて飲まれていました。これもまた、ＤＨＥＡとともにＯ－リングテスト医療におけるがん治療でよく用いています。

◯安全で効果的な最新のがんの治療法

私たちの臨床研究の結果、化学療法の副作用として多く見られる脳のアルツハイマー病変化としてβアミロイド（1-42）が増えてアセチルコリンが非常に減少すること、心筋の異常を起こしCardiac Troponin Iが非常に増え、がん細胞のテロメアが非常に増える一方、正常細胞のテロメアが1yg（$=10^{-24}$g）前後に減り、副腎皮質から出るＤＨＥＡも非常に低くなり、また長寿遺伝子の1つであるサーチュイン1も正常の10分の1〜100分の1以下に減少します。

がんの化学療法を受けて死んだ人というのはこれらの副作用で死ぬ人が多いのです。その反面、私たちの研究でわかったことは正常細胞のテロメアを500ng（BDORT Units）以上に増やすと全身の血液循環がよくなり、がん細胞で異常に増えているアスベストや水銀、その他の有害物質が小便の中に大量に排出され、またウイルス、細菌、ファンガス等も小便の中に排出されやすくなります。さらにがん細胞のテロメアを著しく減少させ、がんの増殖に必要なＤＮＡの突然変異のときに増える8-OH-dGが減少し、がん細胞の分裂を抑制します。

このような理由で私たちは次の表に示されている16種類の正常細胞のテロメアを増やし、同時に長寿遺伝子の1つであるサーチュイン1を増やす方法を見つけました。その中で1人1人の患者に最も適した安全な方法を選んで正常細胞のテロメアを増やし、同時にサーチュイン1も十分増やす方法を用いて、がん患者の治療前後の変化を、私の開発したMouth, Hand & Foot Writing Form（186ページに掲載）を使って定期的に調べることにより、もし化学療法やその他の治療法が本当に有効なのか、無効なのか、あるいは有害なのかを客観的に判断できるので、今までよりもっと安全で効果的な治療を行うことができるようになってきました。

ただし、ここではこれらの方法の特長を書くと一冊の本になるくらいのスペースが必要になるので割愛しました。

口から入れるもの以外にもテロメア量を上げるものがあります。それは、**「足の三里」と呼ばれるツボ（経穴）に鍼や指圧を施すことです。**

ただ、伝統的な鍼治療で使われる「足の三里」はその位置が正確ではないので、O-リングテストで新たに探り当てたポイントを用いる必要があります。私はそれを「正しい足の三里のツボ」という意味で「True ST.36」と名づけました。

このツボは直径が8～12ミリほどであり、位置には若干の個人差があるのでO-リングテストで正確な位置を探ることになります。そして、そのツボの中心にプレスニードル

New Methods of Increasing Normal Cell Telomere & Longevity Gene (Sirtuin1) Recently Discovered by Dr. Omura

1. **True ST.36 Stimulation : + Δ Telomere: up to 1500ng**
2. **Optimal dose of DHEA : + Δ Telomere: 525 ng**
3. Astragalus : +Δ Telomere: 650 ng
4. Boswellia Serrata : + Δ Telomere: 650 ng
5. **Plum Wine (25cc) : + Δ Telomere: 650 ng**
   Sirtuin1 : 0.5pg→20pg, 100pg→250pg (Cyoya) ; Sirtuin1 : 0.5pg→35pg, 100pg→300pg(Uguisu)
6. **Akadama Port Wine (25cc) : + Δ Telomere: 750 ng** Sirtuin1 : 0.5pg→ 5 pg, 100pg→250pg
7. Ginger : + Δ Telomere: 800 ng
8. **Yomeishu (25cc) : +Δ Telomere: 850 ng** (Sirtuin1: 0.5pg→ 5 pg, 100pg→250pg)
9. **Maca : + Δ Telomere: 850 ng**
10. **Turmeric : +Δ Telomere: 850 ng**
11. **Haritaki : + Δ Telomere: 1350 ng**
12. Açaí : + Δ Telomere: 1350 ng
13. **EMF Neutralizer : + Δ Telomere: 100 or 150 ng** (Maximum 600ng by combination of 4 locations)
14. **Godanium like Metal : + Δ Telomere: 225 ng** (Maximum 900ng by combination of 4 locations)
15. **Special (+) Qi-gong Energy Stored Paper : +Δ Telomere: 100 ng**
    (Maximum 400ng - over 1,000 ng by combination of 4 locations)
16. **Special (+) Solar Energy Stored Paper : + Δ Telomere: 150 ng or 550ng**
    (Maximum 550ng – 2200 ng by combination of 4 locations)

MOUTH, HAND, & FOOT WRITING FORM

by Yoshiaki Omura, M.D., Sc.D., © 2010 & 2011

Name:______________________ Age:_____ Sex:____ Weight:_______ Height:_______

Address:______________________ Date:___________ Time completed:_________ am pm

______________________ Profession______________ Questions? Call 212-781-6262

Phone #:______________ Cellular Phone #:______________ Fax #:______________ E-mail:______________

Chief Complaint:____

____ **FAX TO DR. OMURA: 212-923-2279**

Before Treatment: BP:_____/_____ Pulse:______ Resp. Rate:______ Body Temp:______

Left Mouth	: Telomere :	**Right Mouth**
write L-M	: Sirtuin 1, longevity gene :	write R-M
before treatment	: Integrin $\alpha_5\beta_1$ (or Oncogene C-fos Ab2):	before treatment
	: 8-OH-dG :	
	: Pb; Al; Hg; Cs :	
	: Chrysotile Asbestos; (Tremolite A.); Mesothelin :	
	: Acetylcholine; Dopamine; Serotonin; GABA :	
BDORT Grading:	: β-Amyloid (1-42); Tau Protein :	BDORT Grading:
after treatment	: L- Homocysteine or CRP:	after treatment
	: Chlamydia T.; Borrelia B. :	
	: Mycobacterium TB; Helicobacter Pylori; C.A. :	
	: Cytomegalovirus; Herpes Type :	
	: Substance P :	
BDORT Grading:	: DHEA :	BDORT Grading:
BDORT Grading:		BDORT Grading:

Left Hand	: Telomere :	**Right Hand**
write L-H	: Sirtuin 1, longevity gene :	write R-H
before treatment	: Integrin $\alpha_5\beta_1$(or Oncogene C-fos Ab2) :	before treatment
	: 8-OH-dG :	
	: CEA; CA-125; DUPAN-2:	
	: Pb; Al; Hg; Cs :	
	: Chrysotile Asbestos; (Tremolite A.); Mesothelin :	
BDORT Grading:	: Acetylcholine :	BDORT Grading:
after treatment	: Cardiac Troponin I; TXB_2; CRP :	after treatment
	: Glucose :	
	: Chlamydia T.; Borrelia B. :	
	: Mycobacterium TB; Helicobacter Pylori; C.A. :	
	: Cytomegalovirus; Herpes Type :	
	: Substance P :	
BDORT Grading:	: DHEA :	BDORT Grading:
BDORT Grading:		BDORT Grading:

Left Foot	: Telomere :	**Right Foot**
write L-F	: Sirtuin 1, longevity gene :	write R-F
before treatment	: Integrin $\alpha_5\beta_1$ (or Oncogene C-fos Ab2):	before treatment
	: 8-OH-dG :	
	: PSA;p CA-125; CEA :	
	: Pb; Al; Hg; Cs :	
	: Chrysotile Asbestos; (Tremolite A.); Mesothelin :	
BDORT Grading:	: Acetylcholine :	BDORT Grading:
after treatment	: Chlamydia T.; Borrelia B. :	after treatment
	: Mycobacterium TB; Candida Albicans; H.P. :	
	: Cytomegalovirus; Herpes Type :	
	: Substance P :	
BDORT Grading:	: DHEA :	BDORT Grading:
BDORT Grading:		BDORT Grading:

After Treatment: BP:_____/_____, _____/_____ Pulse:_____, _____ Resp. Rate:_____, _____ Body Temp:_____, _____

(All the measurement units used here are BDORT Units)

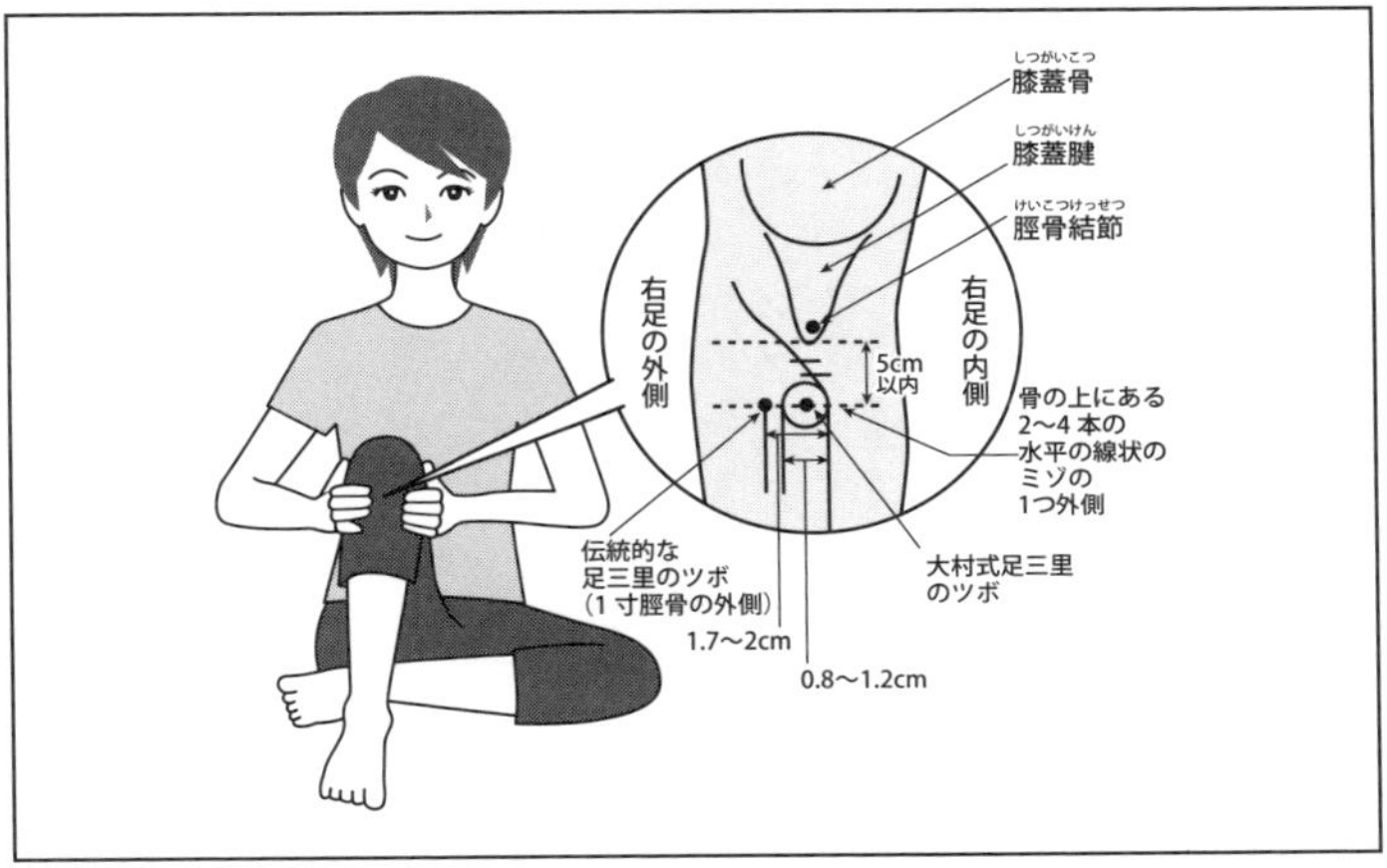

正しい足の三里（True ST.36）の見つけ方
正確な位置がわからない場所でも、図を参考に周辺を強く揉むようにしてください。それだけでも、テロメアの活性効果が期待できます。

（円皮針）という小さな鍼を貼付し、約250回の指圧刺激を1日4回毎日繰り返すのです。

それにより正常細胞のテロメア量を500ナノグラム以上に増やすと、がん細胞のテロメア量は1ヨクトグラム以下になりやすくなり、がん細胞の分裂・増殖を抑制することができます。

鍼を用いる場合には、その位置がわずか1ミリズレただけでも効果が少なくなりますが、健康管理のための家庭療法として指圧によって刺激するのであれば、多少のズレは問題になりません。

上の図をよく見ておおよその位置をつかみ、脛骨の外側周辺を骨と筋肉の境目に沿って、下（足先方向）へ向けて約10回ぐらい押して離すプッシュ＆リリースの刺激を約３００回繰り返せば、体の正常細胞のテロメア量は５００ナノグラム以上に増え、その作用は５～６時間続きます。

これを５～６時間ごとに１セット、１日に４～５セット繰り返せば、がん細胞のテロメア量は常に０（ゼロ）近くとなり、がんをはじめとするさまざまな難治性疾患を予防することになるでしょう。

◯Oーリングテスト医療によるがん治療について

最後に、Oーリングテスト医療によるがん治療についてご説明しましょう。

「がんに効く」といわれている食品は数多くありますが、その中には無効なものや有害なものもあり、また適量にも個人差がありますから、Oーリングテストでそういった点を調べた上で、その人にとって最適な治療法を選択することが肝要です。それにより、ムダな費用や時間をかけることも避けられます。

抗がん剤などにも同じことがいえ、特定の薬との相性や適量などをO－リングテストで見極めた上で処方すると、副作用をうまく避けながら最大の効果を得られます。

もちろん、薬の服用時には、第2章でご紹介した「選択的薬剤取り込み増加法」もおおいに役立ってくれることでしょう。

以下、参考までにO－リングテスト医療におけるがん治療に用いることの多い手法をご紹介しておきます。

正しい「足の三里」のツボ（True ST.36）を刺激する

正しい「足の三里」のツボ（True ST.36）にプレスニードル（円皮針）を貼付（ちょうふ）して、一度に300回「押す・離す」の指圧刺激を一日3～4回加えます。これにより正常細胞のテロメア量を500ナノグラム以上に増加させ、一方でがん細胞のテロメア量を0（ゼロ）近くに減らすことで、がん細胞の分裂・増殖を抑制します。

DHEAの最適量を摂取する

DHEAの体内での最適値は130～140ナノグラム（BDORT Units）。20～25歳で最も多く作られ、85歳までに90～95パーセントも低下するといわれています。

また、ＤＨＥＡの量が5ナノグラム以下、特に2ナノグラム以下に低下している体の部位では、がんが発生している可能性が高いこともわかっています。

これまでの研究の結果、一日の適量は人によって違いますが、成人では4～8ミリグラム程度のＤＨＥＡを1回だけ摂取すると、正常細胞のテロメア量が５００～５２５ナノグラムになり、その作用は人によって数週間から1年間くらい続くことがわかってきました。

ただし、鎮痛剤のタイラノールやアスピリンを服用したり、ビタミンCが大量に入っているものを摂ったり、にんにく、玉ねぎ、ニラ、納豆、トウガラシを摂ったり、気温の低いところに2～3時間以上いたりすると効果が打ち消されることがあります。

また、摂取量が多すぎるとかえってがんを進行させてしまうので、必ずＯ－リングテスト認定医の処方を受けるべきです。欧米の一般の医師は、適量の概念を無視して25ミリグラムや50ミリグラムといった多すぎる中毒量を処方することも少なくありません。

そのように、適量の2倍以上の量を摂取していると、かえって逆効果となり、体に有害な作用が及ぶでしょう。これは大きな問題だと思います。

アストラガラスの適量を1回摂取する

アストラガラス（黄耆）の適量を1回摂取すると正常細胞のテロメア量が最高650ナノグラムになり、その作用を打ち消すものを摂らない限り、その作用は数週間から6ヶ月以上も続く可能性があります。

α-リポ酸とアセチルL-カルニチンの最適量を摂取する

α-リポ酸とL-カルニチンは細胞内のミトコンドリアにおいて糖と脂肪の代謝に関与する成分であり、これらの最適量を摂取することで正常細胞のテロメア量を上げることができます。

成人の一回の適量は50〜80ミリグラムですが、一般にアメリカで市販されているものには100ミリグラム含有のものが多く、かえって逆効果となる可能性があります。

そこで、これについても、認定医によるO-リングテストでその人の最適量を調べる必要があるといえます。

ＥＰＡ／ＤＨＡの混合物とシラントロ、葉酸を摂取する

がん細胞の核にはウイルスの感染があり、これには魚の油から抽出したＥＰＡとＤＨＡが効果的です。

成人の場合、ＥＰＡ１８０ミリグラムとＤＨＡ１２０ミリグラムをミックスしたものを用います。これには抗ウイルス作用と血液循環を良くする作用もあり、１日に３～４回摂取することが推奨されます。

また、アスベストの排出を促すシラントロのサプリメントと、葉酸のサプリメントも摂取します。

葉酸の１回の適量は１００マイクログラムであり、１日に３～４回の摂取が一般的です。ところが、市販のサプリメントには１個の錠剤に４００マイクログラムの葉酸が含まれることが多く、１回量としてそれを摂ると、かえってがんの原因となるＤＮＡの変異を促します。

その変異に伴い、ＤＮＡの酸化損傷を示す指標となる8-OH-dGというＤＮＡの異変があると増える物質が異常に増え、体内で発がんが促進されていることがわかっています。

そこで、妊婦を除き、1回量100マイクログラム以上は摂取してはいけないということになります。

妊婦の人でもときには200マイクログラムでは多すぎるため、かえって害になる場合もあります。

ニガウリを生で食べるか、あるいは粉末を摂取する

成人の場合、40～50グラムのニガウリをよく洗って生で食べるか、あるいは粉末を約5グラム摂取すると、正常細胞のテロメア量が500～600ナノグラム以上になります。理想的にはこれを3～4時間ごとに摂り、正常細胞のテロメア量を500ナノグラム以上の状態で維持することになります。

りんご、バナナ、レッドグレープフルーツなどを摂る

赤いりんごを100グラム食べると正常細胞のテロメア量が125ナノグラム増えます。また、100グラムのバナナでは75ナノグラム、100グラムのレッドグレープフルーツでは75ナノグラム増えます。

これらの果物の組み合わせにより正常細胞のテロメア量を500ナノグラムまで上げることができますが、それを維持するには4時間ごとにこれらの果物を摂取する必要があります。

プラスの太陽エネルギーを蓄えた紙をがんの患部に貼る

日の出直前と日没直後にそれぞれ3〜4分間しかないプラスの太陽エネルギーを蓄えた紙をがんの患部に貼ることで、正常細胞のテロメア量を急激に上げ、その逆にがん細胞のテロメア量を0近くにまで下げることができます。詳しくは第2章を参照してください。

そのほか害の少ない薬や漢方薬を適量服用する

漢方的な病理診断から最も関連の深いツボや、臓器代表領域などから最適の漢方薬をO-リングテストで探り、さらに適量を調べます。

また、抗がん剤を使う場合にも、O-リングテストで最適な薬の選択と適量を調べることができます。これは、最小の副作用で最大の効果を得るためには欠かせないものです。

おそらく、有名ながん専門病院においても、副作用の多い化学療法を行うときに抗がん剤の適量を毎回調べて治療しているところは非常に少ないでしょう。ほとんどないといっても過言ではないと思います。

以上の治療法の中から、患者にとって最善かつ安全な組み合わせを選ぶことで、正常細胞のテロメア量を常時500ナノグラム以上に維持することができると、がん細胞のテロメア量は0（ゼロ）近くまで下がり、がんの進行を抑制して治癒する方向へ導くことができます。ただし、日常生活の中でテロメア量を下げる要因が多くあると十分な成果が上がらないことがあるので、その場合は患者が身に付けているものや、食習慣、独自に摂取しているサプリメントや薬などをチェックして、それらの要因の排除に努めます。

特に、2つ以上の薬を同時に使っているときには、それらの相互作用によって効果がなくなったり、有害性が現れたりしないかどうか、必ず確かめるべきでしょう。

次章では、読者の皆さんがご自身でO－リングテストを行い、身の回りのものが体にとってプラスの働きとなるのかマイナスの働きとなるのかを判断する方法についてご説明しましょう。

第5章　O－リングテストによって身の回りのものをチェックしよう

それでは、この本を読んでいる皆さんが、身の回りのものを自分でO－リングテストを用いて調べる方法をご紹介しましょう。

一般の方であっても正しくテストできるようわかりやすく説明したつもりですが、より正確に調べるには、O－リングテストの認定医・認定歯科医・認定鍼灸師を受診していただく必要があります。

また、誤診があってはいけませんから、ご自身やご家族の健康状態や病気などの診断、それから、医薬品やサプリメントの処方などをO－リングテストで独自に調べるようなことは絶対に行わないでください。

○「O－リングテストによる身の回りのもののチェック」の基本

O－リングテストでは身の回りのものが、体にとってプラスなのかマイナスなのかを知ることができます。**プラスのものはずっとつけていると元気になるもの、マイナスのものはずっとつけていると体に害となり病気の原因となるもの**のことです。

それを実際に身につけたり使ったりする人が被験者となって指でO－リングを作り、協力者が検者となって、そのO－リングを開きます。

被験者は調べる対象物に触れるか、手に持つか、あるいは1～2センチ程度の距離から指先をかざすなどして、その状態のときに指が開くとそれは体にとってマイナス、逆に指が開かないなら体にとってプラスということになります。

O－リングテストの準備と注意点

調べたい身の回りのもの、それから、O－リングテストに協力してくれる人を用意します。

あなたの体にとってプラスかマイナスかを判断するときには、あなたが被験者となり、協力者が検者となります。その逆に、協力者の体にとってプラスかマイナスかを判断するときには、協力者が被験者となり、あなたが検者となります。

被験者は指でO－リングを作る人、検者はそのO－リングを開く人です。その役割分担を覚えておいてください。

テストを行う前には、被験者と検者はアクセサリーや時計などを外し、また、電磁波の影響を防ぐために、テレビやパソコン、ハイブリッドカーなど強い電磁波を発する電化製品から離れます。コンセントの近くもなるべく避けます。不要なコンセントは抜いておくとなおよいでしょう。

Ｏ－リングテストは立っていても座っていてもできますが、座るときには足を組んだり、あぐらになったりしてはいけません。正座かイスに座って行うのがベストです。腕は体に付けず、体から45～90度程度離した状態で行います。

Ｏ－リングの基本の形と指の引き方

Ｏ－リングは利き手の２本の指で作ります。指と指の先端をぴったり合わせてきちんとした丸い輪を作るのがポイントです。爪が伸びすぎているとそのような輪が作れませんから、テストの前には爪を切っておくといいでしょう。

O-リングは基本的には親指と人差し指で作りますが、被験者と検者の力の違いに応じて、4種類の指の組み合わせパターンがあります。それについてはこの後の「コントロールO-リングの見つけ方」でご説明します。

なお、**O-リングを作るときには、ほかの3本の指も内側に丸めることが大切です。**指を伸ばしていると、それが外界の電磁波をキャッチして正確なテストができなくなります。

O-リングを引くときには、検者自身もO-リングを作って被験者のO-リングに通し、203ページの図のように引く方向が一直線になるようにします。両ひじが体の前に出るようにして、引く方向と手首、腕のラインを合わせるのがポイントです。

前置きもなく急に指を引くと被験者は力を入れることができず、正しいテストができませんから、検者は「ハイ」と合図をしてから一定の力で一直線上に指を引きます。

一方、被験者の側は合図があったら、指先をぴったりつけるように力を入れておきます。調べるものが体にとってプラスであれば指は閉じたままとなり、マイナスであれば指はパッと開いてしまうでしょう。

これがO－リングの基本の形

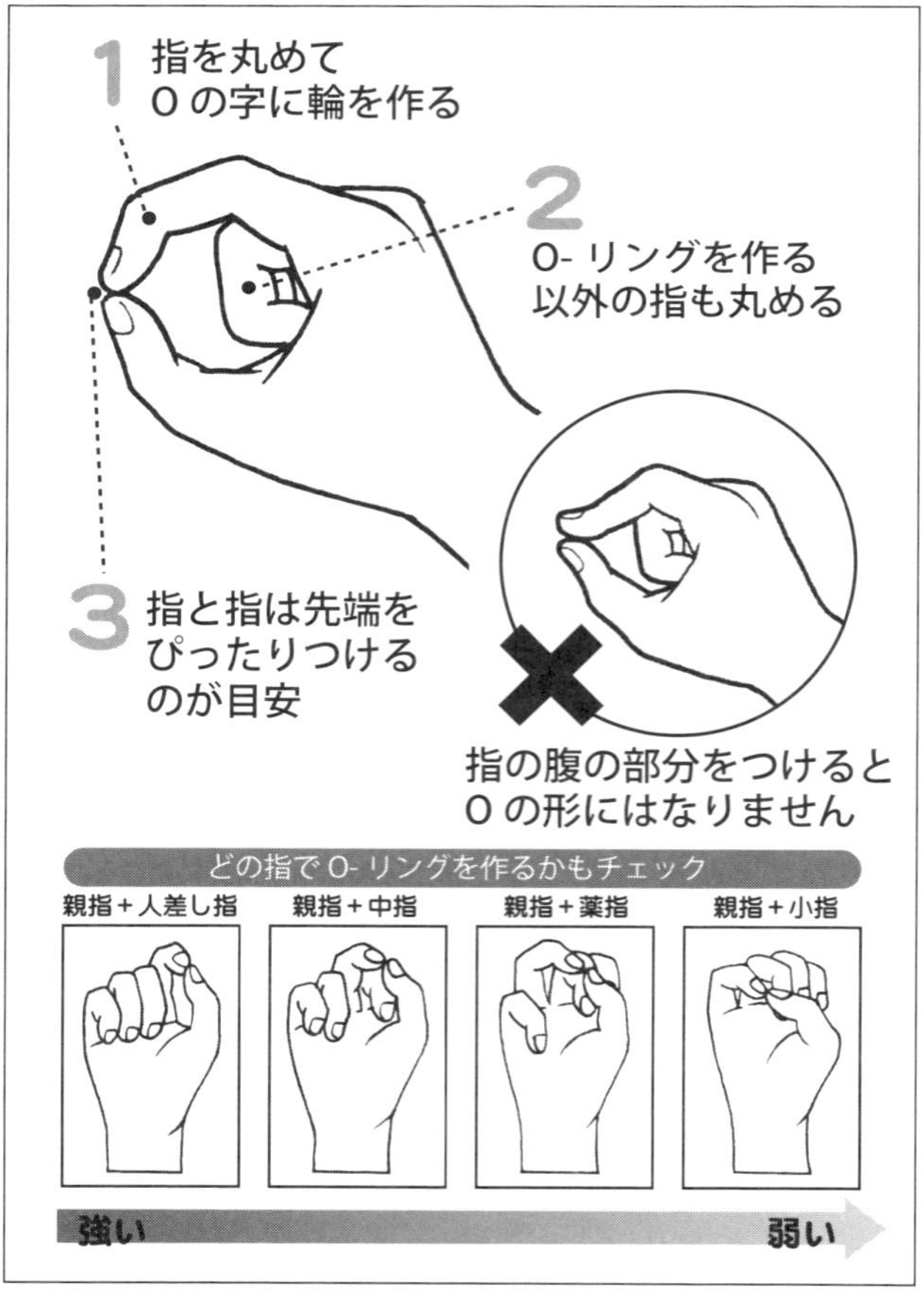
1
指を丸めて
O の字に輪を作る
2
O- リングを作る
以外の指も丸める
3
指と指は先端を
ぴったりつける
のが目安
指の腹の部分をつけると
O の形にはなりません
どの指で O- リングを作るかもチェック
親指＋人差し指
親指＋中指
親指＋薬指
親指＋小指
強い
弱い

指のつなげ方によって、４種類のO－リングが作れます。このうちのどの指でテストを行うかは、１人１人違ってきます。

指の引き方はこんな感じ

1

チェックする人が
O－リングを作る

本文の説明を参考にO－リングを作ってください。

2

テストする人が
O－リングに指をかけ、
一定の力で一直線上に引く

両手の人差し指を一本ずつ輪にひっかけ、親指とつないで輪を作るのが基本です。ひっかけた指を一定の力で一直線上にまっすぐ引っぱります。指を引くときに「ハイ」と声を出した方が、息が合いやすくなります。

3

O－リングの開き
具合を確認する

O－リングが開いた……
調べるものが体に合っていません。

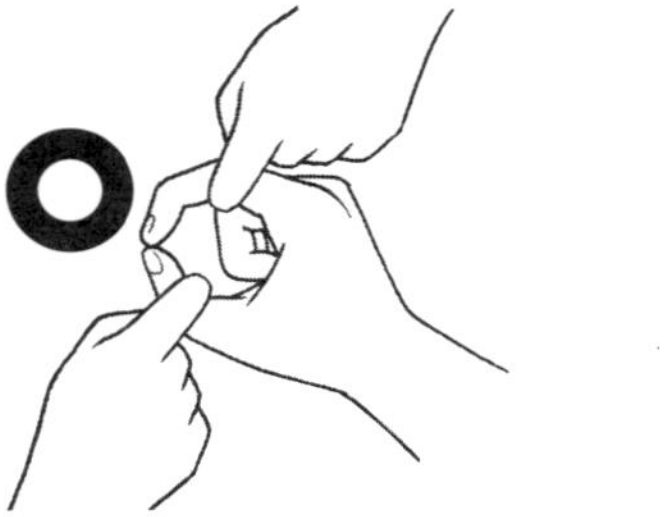

O－リングが開かない……
調べるものが体に合っています。

◯コントロールO－リングの見つけ方

被験者がO－リングを作る指（コントロールO－リング）は人によって異なります。テストを始める前に次の3つの条件をチェックして、あなたのコントロールO－リングを見つけてください。

第1条件

検者が親指と人差し指でO－リングを作り、被験者の親指ともう1本の指（最初は人差し指）で作ったO－リングを引きます。このときO－リングが開かなければ第1条件は満たされたことになります。

第2条件

次に、被験者は指をそのままに、検者は親指と人差し指・中指でO－リングを作り、被験者のO－リングを引きます。このとき、O－リングが最大限に開いたら第2条件が満たされたことになります。

ここでO-リングが開かない場合は、被験者は親指と中指でO-リングを作り、第1条件と第2条件のチェックを行います。それでも開かなければ、被験者の指の組み合わせを、親指と薬指、親指と小指と変えていき、この両方の条件を満たすまで同じチェックをします。

第3条件

被験者は頭を順に上・下・左・右に向け、検者はそのつど第2条件まで満たした被験者のO-リングを引きます（このとき検者の作るO-リングは親指と人差し指の組み合わせ）。**どの頭の位置でもO-リングが開かないことを確認できたら、その指の組み合わせがコントロールO-リングとなります。**

今後、同じ検者と被験者の組み合わせでO-リングテストを行うときには、このコントロールO-リングを用いることになります。

本文で説明したように、O－リングを作る指（コントロールO－リング）は人によって異なります。テストを始める前に下記の３つの条件をチェックして、あなたの「コントロールO－リング」を見つけてください。

第１条件

テストする人が、親指と人差し指でO－リングを作り、チェックする人の親指と、もう１つの指で作ったO－リングを、両側から一直線上に引っぱります。このときO－リングが開かないのが確認できたら、第１条件が満たされていることになります。

第２条件

次に、テストする人が、親指と人差し指・中指でO－リングを作り、第１条件を満たしている（チェックする）人のO－リングを、両側から一直線上に引っぱります。このときO－リングが最大限に開いたら、第２条件が満たされたことになります。

＊開かない場合は、チェックする人のO－リングを作る指を親指と中指に変え、第１条件→第２条件と同じようにチェックしていきます。それでも開かない場合、親指と薬指、親指と小指と弱い指に変えて、第１・第２条件を満たすまで同じチェックをしてください。

第３条件

第２条件が満たされたら、チェックする人は、頭を順に上・下・左・右に向けます。テストする人は、第１条件のときと同じ、親指と人差し指の２本指で作った（チェックする人の）O－リングを、それぞれ左右から一直線上に引っぱります。４つの頭の位置でO－リングが開かないのが確認できたとき、コントロールO－リングが決定します。

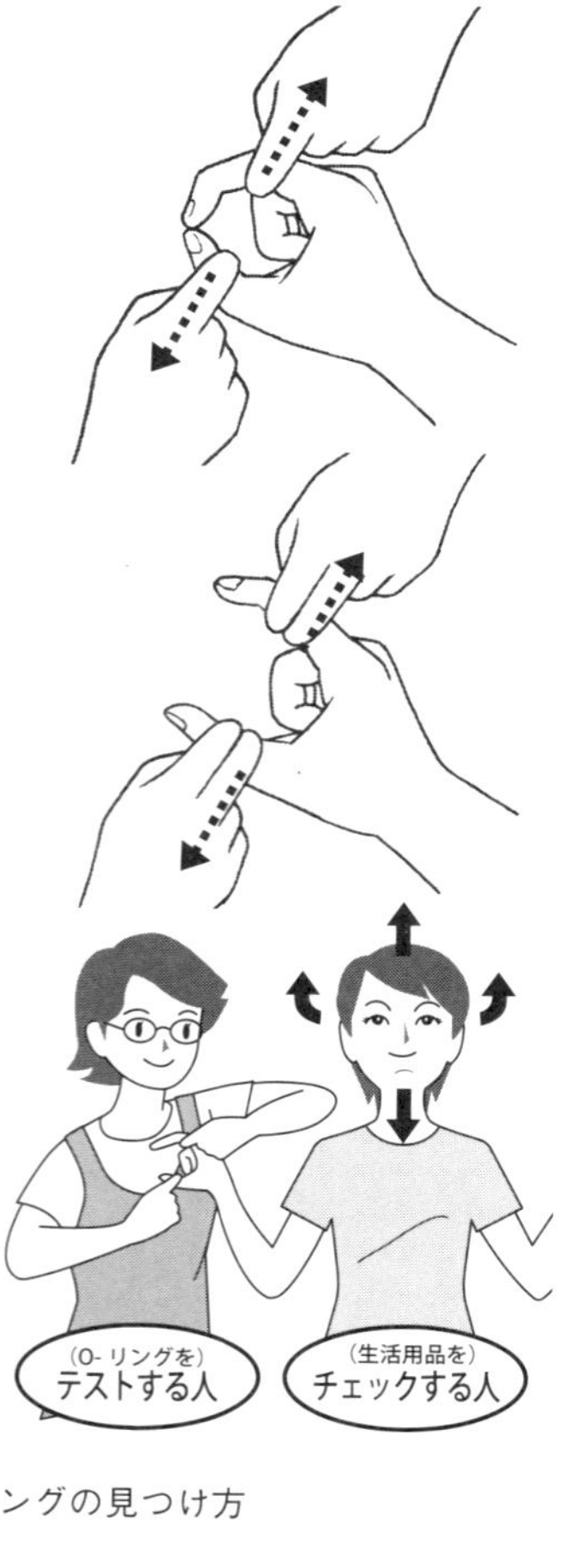

コントロールO－リングの見つけ方

装飾品のチェック法

右：メガネの鼻パッドと耳に当たる部分は、マイナスのものが多いので、必ずチェックしてください。左：ネックレスや時計は部分によって反応が変わる場合があります。腕時計は裏側を要チェック。電池のプラス面が裏側とつながっているものは、マイナスが出やすい傾向があります。アクセサリーは、部分によりプラス・マイナスの反応が変わるものが多いので、調べるものを紙の上に置き、各部分をテストしてください。体に触れる部分がマイナスの場合は、数日間外して体調をチェックするといいでしょう。

◯装飾品のチェックはこうしよう

金属製の装飾品、腕時計、メガネ、頭部や首につける装飾品などは体にマイナスの影響を与えていることがあるので、優先的にO-リングテストで調べてみましょう。また、装飾品ではありませんが、定期券や社員証、クレジットカードなどの磁気カードからの磁場も害を及ぼすことがあります。

装飾品をO－リングテストで調べるときには、O－リングテストでプラスとなる紙（市販のコピー用紙がいいでしょう）の上に置き、被験者の指先を1センチほどの距離からかざした状態で、もう一方の手（利き手）で作ったO－リングを検者が開きます。

ネックレスや腕時計などは部分によって反応が変わるので、いくつかのパターンでチェックしてみましょう。腕時計は裏側がマイナスに反応しやすい傾向があります。

また、メガネは鼻や耳に当たるパッドの部分をよく調べます。マイナスに出た場合にはアルコール消毒をするとプラスに変わることがありますが、それでもマイナスのままであれば、半透明のスコッチテープ（O－リングテストで強いプラスとなります）を肌に触れる部分に貼ることで、そのマイナス作用から体を守れます。

◯衣類のチェックはこうしよう

衣類のチェックのときには、図のように被験者が親指と人差し指ではさむようにして持つと衣類の裏と表を同時に調べることができます。ただし、下着類を調べるときには、肌

衣類のチェック法
衣類のチェックをするときは親指と人差し指で衣類の表と裏をはさむのがポイント。こうすると、生地の表と裏、両面が一緒にチェックできます。ただ、直接肌に触れる下着類は、内側の生地をチェックするようにしてください。

が直接触れる内側だけに触れましょう。

シャツの襟などは首が触れる場所なので特に入念にチェックします。また、タグはほとんどが強いマイナスとなるのでハサミで切り取ってしまった方が安心です。

素材でプラスになりやすいのは綿。その反対に、化学繊維やレース状のもの、ブルージーンズや黒い衣類は強いマイナスのものが多く、シルクも場合によってはマイナスになるものが多いといえます。さらに、体を締め付けるような服や、洗剤がよく落ち切っていない服も問題となることがあるでしょう。

ブラジャーなどは、直接肌に当たる面の素材がマイナスで、さらにワイヤーが入っているものは強いマイナスの働きとなるので注意が必要です。

そのような強いマイナスの反応を示すブラジャーを乳がんのある人が着けることは、がんの活動を促進させる「自殺行為」のようなものだといえます。

◯化粧品・生活用品のチェックはこうしよう

化粧品は肌に直接つけるので影響がとても大きいといえます。そこで、基礎化粧品からメイク用品、メイク落としのクリームやオイル、ジェルなども漏れなく調べてみましょう。

また、**日常生活の中で肌に直接触れるシャンプーやコンディショナー、ボディーソープ、石鹸、入浴剤、整髪料、ヘアカラー、洗濯用洗剤、台所用洗剤などのほか、女性の生理用品なども入念に調べます。**

これらを調べるときには、装飾品のときと同様にコピー用紙などの紙の上に容器を置き、

化粧品・生活用品のチェック法

化粧品やシャンプー類は、毎日使っているものから１つ１つ指先を近づけて、チェックしていきます。瓶に入っているものは、指先を容器に近づけるだけで測定できます。直接置くと汚れやすいマスカラなどは、紙の上に置いてテストするといいでしょう。

そこに被験者が指先を1～2センチほどの距離からかざして、利き手で作ったO-リングを検者が引くことになります。

クリーム状のものなどは紙の上に少量出してチェックできますが、直接手で触れるとほかのテストのときに影響が出るので、指先をかざすだけにします。

◯食品・飲料のチェックはこうしよう

一般的に「体に良い」と考えられている食品でも、O－リングテストではマイナスと出ることがあります。そこで、食品や飲料に関しては先入観にとらわれず、日常食べているものを1つずつきちんと調べることが大切です。

食品をチェックするときには、調べたいものから1センチほどの距離に被験者の指先をかざしてO－リングテストを行います。袋に入った米やパン、菓子類を調べるときには、袋の上から中身を損ねない程度の力で指を押し付けるようにするといいでしょう。

マイナスが出た食品であっても皮をむいてから再チェックすると、プラスになることがあります。そこで、皮をむいて食べるものに関しては、そのやり方で調べます。一方、プラスになった食品でも鮮度が落ちるとマイナスに転じたり、5分以上加熱するとテロメアを上げる作用が低下したりするので注意してください。

飲料に関しては、正確にチェックするには、O－リングテストでプラスとなる紙コップに移し、水面から1～2センチ上に指をかざしてO－リングテストを行います。

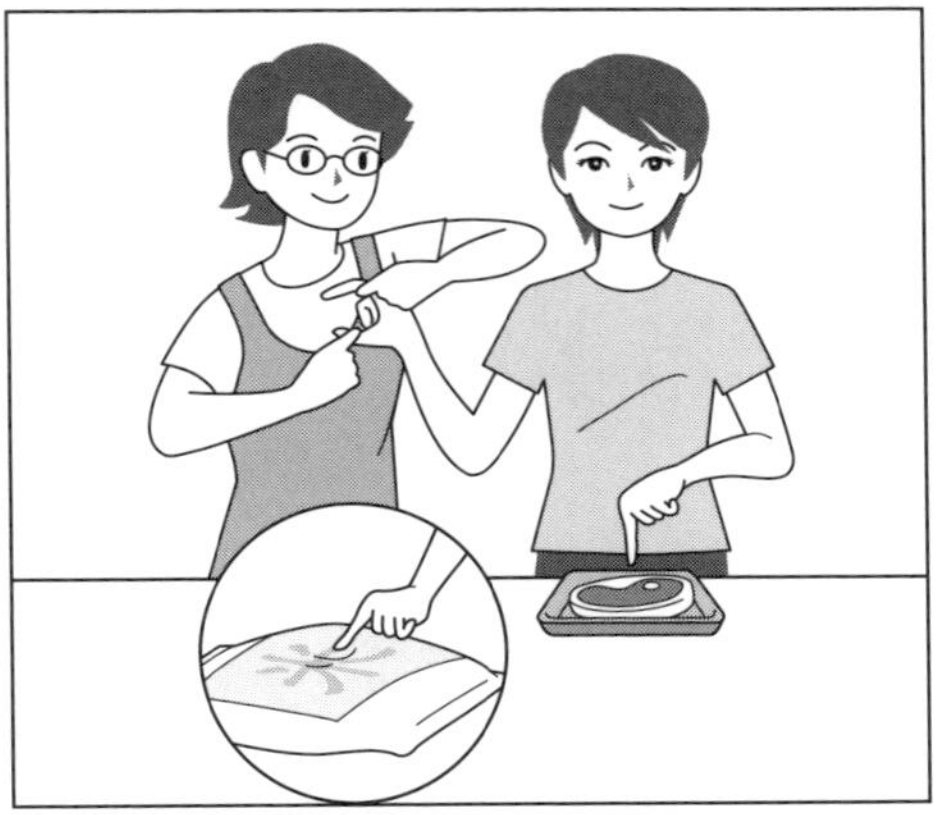

食品のチェック法

肉や魚は表面に触らないようにして、指先を１～２㎝近づけます。袋に入った米やパン、菓子類は袋の上から指を押し付けるようにします。

飲料のチェック法

ペットボトルやビンに入った飲料水は、紙コップに移し、指を水面に近づけてチェックします。水面から１～２㎝上あたりが目安となります。

容器に入った飲料をそのままチェックすることもできますが、容器と中身で結果が異なることがあります。そこで、まず容器そのものを調べるために、水面より上の部分に触れてＯ－リングテストを行い、次に、中身を調べるために容器の水面より下の部分に触れてＯ－リングテストを行います。

こうすると、そのテストが容器を調べているのか中身を調べているのかも明確になるでしょう。

注意してほしいのは、プラスの飲料であっても０度近くに冷やした水はマイナスの反応になりやすいことです。冷たすぎる水は体内のテロメア量を下げてしまうのです。

また、同じ飲料であってもそのときの体調によってプラスに出たり、マイナスに出たりします。たとえば、血糖値の高い人が砂糖の入った飲料を調べるとマイナスに出やすいのですが、疲労時で糖分を求めているときにはその同じ飲料がプラスに出ることがあります。そういうこともあるので、厳密にはそのときどきで体に合う飲料を調べた方がいいでしょう。

ただし、人工甘味料のアスパルテームが入ったダイエット飲料はまず確実にマイナスとなり、コーヒーや緑茶にもマイナスになるものが多いということはいえます。そこで、出先などでO－リングテストを行えない場合には、それらの飲料は避けた方が無難だといえます。
なお、水道水に関しては、蛇口をひねってしばらくは有害物質が出てくるため、その水は強いマイナスとなることが多いといえます。特に、朝は1分間ほど流してから使用することです。

◯電化製品のチェックはこうしよう

電化製品で問題になるのが電磁波の影響です。こうした電磁波は電磁波チェッカーという計測器で調べられますが、O－リングテストを使うと、より手軽に離れた距離からも測定できます。

電源をオンにしたテレビ、パソコン、携帯電話、電子レンジ、蛍光灯などからの距離を、0・5～2メートルの範囲内を目安にして変えていき、そのつど、被験者の指先をその機器に向けた状態でO－リングテストを行います。

電化製品のチェック法

電化製品のテストは、電源をオンにし、使用可能な状態にしてから行ってください。場所によって、プラス・マイナスの反応が異なることもあるので、正面、側面、背面と、方向を変えてテストしてください。電化製品との距離を変え、0.5〜２ｍの範囲内で、どの場所でＯ－リングが開くかをチェックしてください。Ｏ－リングが開いたらそこからはマイナスです。

そうすると、離れているとプラスであっても近づくとマイナスになるはずです。マイナスになる距離から近くにいることが多いと、体に悪い影響があるので注意してください。

特に体調の悪いときには、マイナスの距離内に長時間いないこと。電子レンジを使うなら調理中には少なくとも6メートルは離れるべきでしょう。

パソコンや携帯電話の場合は、いろいろな面に触れてチ

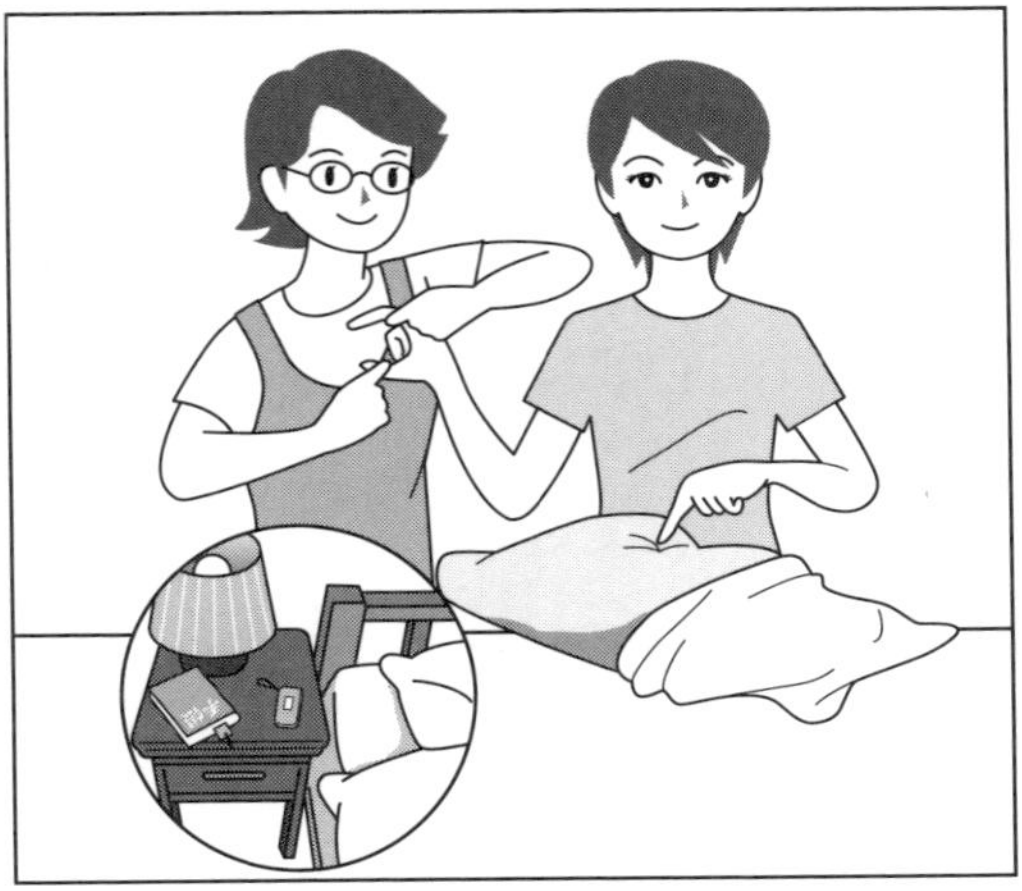

寝室のチェック法

寝室にあるものの中でまずチェックしたいのが、枕です。形や硬さよりも、枕の中身の素材がプラスかマイナスかが、安眠のカギを握っています。枕の生地の上から強く押し付ければ中身もチェックできます。生地がへこむぐらいが目安です。クッションも同じようにテストしてください。枕元の電化製品も１つ１つチェックして、マイナスの出ているモノが見つかったら20㎝以上遠ざけること。

ェックします。仕事などの都合で、それらの近くにいる時間が多いのなら、電磁波を吸収するニュートラライザーを用いるか、正しい足三里のツボの指圧によって電磁波の害を緩和してください。

◯寝室のチェックはこうしよう

パソコンやテレビ、携帯電話やラジオなど電磁波を発する電化製品が枕元にあると、安眠を妨げ健康に悪影響となります。

また、電気スタンドや目覚まし時計なども問題となることがあります。もし、これらのものがO－リングテストでマイナスとなったなら、最低でも50センチ以上は離してください。

また、枕がマイナスだと脳に悪影響があり、やはり安眠の妨げとなります。枕を調べるときには、生地の上から指を強めに押し付けることで中身も調べられます。

ほかに就寝時の注意として、照明をつけたまま眠らないことや、電気による暖房器具を使わないということが挙げられます。特に、電気毛布は電場と電磁場が非常に大きく、長期間の使用により発がんの可能性が高まりますから、使わないようにしてください。

◯ベビー・妊婦用品のチェックはこうしよう

赤ちゃんが直接口にするほ乳瓶やおしゃぶりなどをO－リングテストで調べると、その多くが強いマイナスの反応を示します。そして、そうしたものを毎日のようにくわえてい

おしゃぶりや
ほ乳ビンの
ゴムの部分に
指先を当てる

ベビー・妊婦用品のチェック法

赤ちゃんはとても敏感ですので、ゴムのついたベビー用品をまずテストしましょう。特におしゃぶりやほ乳ビンのゴムの部分、肌につけるベビーパウダーなどは要チェックです。

ると、脳の循環が悪くなり、脳のアセチルコリンが減り、脳の発育にとって害になります。

これらを調べる場合には、口にくわえるゴムの部分に指先を当ててO-リングテストを行います。

また、ベビーパウダーからアスベストやアルミニウムの反応が出ることもあるので、これらも化粧品と同じ要領で調べた方がいいでしょう。

ベビー服やおむつについても、肌に触れる部分を中心によく調べておきます。衣類については基本的に綿素材のものを選び、洗濯のすすぎを入念に行うことでアレルギーや感染症のリスクを軽減できます。

妊婦は、胎児への影響を考えて電化製品の使用に注意してください。携帯電話は身に付けず、電子レンジの使用もなるべく避けること。蛍光灯を白熱電球に換えたり、ヘアドライヤーを使うときにはなるべく短時間で済ませたりするなどの工夫が、電磁波の害をなるべく避ける上で有効です。

また、りんごやバナナなどテロメア量を上げる食品を積極的に摂ることも、母体と胎児の健康にとって大きなメリットとなるでしょう。

おわりに

Ｏ－リングテストは１９７０年代に私がその原理を発見して以来、世界各地の医療関係者の間で研究が進められ、１９９３年にはアメリカで特許が認可されました。日本でも１９８５年に設立された「日本バイ・ディジタルＯ－リングテスト協会」を母体に研究と普及に努め、１９９５年からは認定試験の制度も設けています。

日本では、東京大学の前・麻酔科主任教授、および同大学の前・医学部長であられた山村秀夫教授が、Ｏ－リングテストに関してご指導、ご協力くださり、非常に感謝しております。

また、昭和大学の前・生理学主任教授であり、医学部長、学長を歴任された故・武重千冬先生、同生理学科の跡を継がれた久光正主任教授らの動物実験が、Ｏ－リングテストの貴重な基礎研究となっています。

さらに、日本バイ・ディジタルＯ－リングテスト協会の名誉会長でもあったソニーの元会長、故・井深大さんからは、インターフェロンの開発で世界的に知られる林原生物化学研究所の林原健社長とのご縁を作っていただき、同研究所長の福田恵温博士とも協力関係を結んできました。

井深さんからは、1993年に早稲田大学国際会議場（井深記念ホール）で開催した「第1回バイ・ディジタルO-リングテスト国際会議」への出席時に、「O-リングテストは20世紀医学から21世紀医学へのパラダイムシフトに必要な方法である」との激励をいただいたことが印象に残っています。なお、その国際会議にはスウェーデンの元ノーベル賞医学生理学選定委員長のビョン・ノーデンシュトローム教授も強力なサポーターとして参加され、研究講演もされています。

このように、O-リングテストはこれまで医療従事者を中心にその普及を図ってきましたが、最近では一般にもだいぶこの検査法の存在が知られるようになりました。そこで、O-リングテストによってわかってきた体の仕組みや長寿と健康の秘訣なども含め、正しい情報をお伝えする必要性を感じています。

もし、すべての医科大や歯科大で、「O-リングテストによって、早く非侵襲的に、高価な最新の医療検査機器に頼ることなく、安全で経済的な診断および治療ができる」という事実が認められ、必須科目となれば、病気の早期発見と患者に負担の少ない医療が実現し、国の医療費も3分の1から2分の1くらいまで節約できるはずです。

しかし、そういう時代が来る前であっても、あなた自身がO-リングテストによる医療とその考え方を選択したり、第1章と第2章で紹介した「顔に表れる異常でわかる病気のマップ」や「手の刺激で良くなる病気のマップ」を活用して病気の早期発見と予防に努めたりすることで、健康と長寿を得て、結果的に医療費を節約することにもなるでしょう。

すべての病気が目に見える異常として顔に表れるわけではありませんが、これらのマップが早期に病気を発見する助けとなるのは確かであり、それが早期であればあるほど、O-リングテストの活用によって命拾いする可能性が高まることになります。

この本がそのような形で、皆さんの健康と長寿を実現する一助となれば幸いです。

2012年7月

大村恵昭

O－リングテストが受けられる全国認定医・認定歯科医・認定鍼灸師リスト

◎認定医リスト

①代表者　②診療時間　③要予約かどうか　④特色　⑤住所とTEL・FAX　⑥最寄駅　⑦HP

いまい内科クリニック（内科、循環器内科、小児科、アレルギー科）
①今井浩之（院長）②９：00～12：30、14：00～16：30　木、土午後、日、祝祭日は休診　③要電話予約　④西洋医学と東洋医学の良いところを取り入れ、体質改善と環境改善をご指導しながら難病治療にも取り組んでいます。⑤〒053-0045　北海道苫小牧市双葉町１丁目４－２　TEL：0144-37-8686　FAX：0144-31-2678　⑥JR苫小牧駅より車両５分　⑦HPあり

とよおかクリニック（内科）
①豊岡憲治（院長）②９：00～18：00　原則休診なし　臨時休診有　③完全予約制　要電話予約　④ほとんど全ての科にわたり漢方薬にて治療。鬱病、統合失調症、ADD、HDDへの対応や脳の働きを良くすることも可能。⑤〒105-0012　東京都港区芝大門２-12-５モンテベルデ芝大門201号　TEL／FAX：03-5401-0769　⑦HPあり

医療法人相雲会　小野田病院（内科、循環器内科、消化器内科、外科、泌尿器科、腎臓内科、人工透析科他、人間ドック［バイディジタルO－リングテストを含む］、各種診断）
①加藤紘一（名誉院長）②８：30～12：00、13：30～17：30　土、日、祝祭日・年末年始（12／31～１／３）は休診　③必要　④生体の細胞性免疫サイクルを活性化

する免疫強化療法を中心に行っています。 ⑤重要無形文化財“相馬野馬追い”の里 〒975-0004 福島県南相馬市原町区旭町３-21 TEL：0244-24-1111 FAX：0244-22-2125 ⑥JR常磐線・原ノ町駅より徒歩３分、東北線・仙台駅から約１時間、常磐線・いわき駅から約１時間 ⑦HPあり

自然療法研究所・西村クリニック（内科、小諸厚生総合病院内科非常勤）

①西村誠（院長） ②土９：00〜17：00 月、火、水、木、金、日は休診 ③自由診療・予約制、要電話予約 ④栄養食事療法を基本とする対ガン総合戦略も指導しています。「ぽんちゃん倶楽部通信」（http：//www.hokushinhouse.com/club/vol_3.htm） ⑤〒389-0406 長野県東御市八重原915-27 TEL：0268-61-6144 FAX：0268-61-6145 ⑥長野行き新幹線上田駅下車しなの鉄道田中駅下車タクシー10数分、上信越高速道東部湯の丸インターより15分

正樹堂医院（せいじゅどう）（循環器科、内科、アレルギー科）

①田中二仁（院長） ②９：00〜12：00、14：30〜17：30 土・日・月・祝日は休診 ③要電話予約 ④バイ・ディジタルO－リングテスト・矢追インパクト療法・自律神経免疫療法を併せて実施 ⑤〒192-0913 東京都八王子市北野台１-１-５ TEL：0426-36-9310 FAX：0426-36-9314 ⑥京王線北野駅・JR横浜線八王子みなみ野駅よりバス利用 ⑦HPあり

アドバンス・クリニック横浜（主に癌、その他の不定愁訴［代替医療、統合した温熱療法］）

①前田華郎（院長） ②９：30〜17：30 土、日、祝祭日は休診 ③要電話予約 ④O－リングテストで癌の早期発見、病巣部の判定、有効な機能性食品とその量の選択、食事の内容、生活習慣の指導、遠赤温灸の体験、統合した温熱療法。 ⑤〒220-0004 神奈川県横浜市西区北幸１-２-10アスカ２ビル８F TEL：045-328-4166 FAX：045-328-4133 ⑥横浜駅西口徒歩７分 ⑦HPあり

医療法人東西会　東西クリニック（内科、皮膚科、神経科）

①斉藤隆（院長）②9：30～12：00、14：00～17：30、木曜は14：00～16：30　日・月は休診、O－リング診察は木曜日14：00～17：30　③要電話予約　④BDORTの検査と自費の薬や健康食品は東西医学ビル若若クリニックで行っています（東西医学ビルクリニック大宮西口は別）。⑤〒338-0001　埼玉県さいたま市中央区上落合9-14-2東西ビル3F、4F　TEL：048-858-8380　FAX：048-858-8381　⑥大宮駅西口徒歩7分　⑦HPあり

スペースゆうクリニック（心療内科、東洋医学、自由診療）

①保田うた子（院長）②10：00～12：00、14：00～16：00　原則は水曜休診　③完全予約制（電話ないしFAX）④バイ・ディジタルO－リングテストでの全身チェック。心身両面からの診療を行っています。⑤〒458-0832　愛知県名古屋市緑区漆山704　TEL：052-625-4085　FAX：052-625-4089　⑥名鉄名古屋本線左京山駅より徒歩約8分、名鉄鳴海駅・JR大高駅よりはタクシー約10分

今泉アイクリニック（眼科、内科、神経内科、皮膚科）

①今泉征子（院長）②9：00～12：00、16：00～19：00　水、土午後、日・祝祭日休診　③2回目以降要予約　④一般の西洋医学に加え東洋医学を取り入れ化学物質過敏症を研究中です。⑤〒441-1231愛知県豊川市一宮町錦2　TEL：0533-93-6082　FAX：0533-93-1382　⑥JR三河一宮駅徒歩3分　⑦HPあり

神尾産婦人科医院（産婦人科）

①神尾憲治（院長）②9：00～12：00、13：30～17：30　木及び土午後、日・祝祭日は休診　③要電話予約　④西洋医学に東洋医学を取り入れ心身相関を考慮して診療を行っています。⑤〒410-0822　静岡県沼津市下香貫椙原530-11　TEL：055-931-1561　FAX：055-934-0375　⑥東海道線沼津駅より車で10分

下津浦内科（内科、消化器科、呼吸器科、循環器科、O－リングテスト研修施設）

①下津浦康裕（院長）②９：00〜13：00、14：30〜18：00　日、祝祭日、第３土曜日は休診　③要電話予約　④消化器病他、難病治療を得意とする。癌・糖尿病・心臓病・認知症・自己免疫疾患・動脈硬化・アトピー・潰瘍性大腸炎、O－リングテストによる癌のスクリーニング検査　⑤〒830-0032　福岡県久留米市東町496東町ビル２F　TEL：0942-36-0620　FAX：0942-36-0610　◆下津浦内科医院ブログ(http://shimotsuuraclinic.blogspot.jp/)　⑥西鉄大牟田線久留米駅より徒歩５分　⑦HPあり

大善寺医院（内科、麻酔科、循環器科、胃腸科、リハビリテーション科）

①宮原孝（院長）②月〜金９：00〜12：30、13：30〜17：30、土９：00〜12：30　日、祝祭日は休診　③要電話予約　④診療に東洋医学を取り入れています。入院施設あり　⑤〒830-0073　福岡県久留米市大善寺町宮本390-２　TEL：0942-27-3851　FAX：0942-27-4339　⑥西鉄大善寺駅、安武駅より車で３分・徒歩15分　⑦HPあり

山口内科クリニック（内科、小児科、アレルギー科、リウマチ科、心療内科）

①山口宏和（院長）②月火水金９：00〜13：00、15：00〜18：30　木９：00〜13：00、14：00〜16：30　土９：00〜13：00、14：00〜17：00　日・祝は休診　③要電話予約　④食物アレルギー・アトピー・喘息・難病・心身症を食物と漢方とプラセンタ療法で治すことを目標にしています。⑤〒840-0202　佐賀県佐賀市大和町久池井987-４　TEL：0952-62-9885　FAX：0952-62-9886　⑥JR佐賀駅より車で15分　⑦HPあり

医療法人村田会　村田外科・胃腸科・ひふ科医院（外科、内科、胃腸科、肛門科、ひふ科、泌尿器科、整形外科、リハビリ科、在宅医療、人間ドック、O－リングテスト診療）

①村田悦男（院長）②O－リングテストの診療　月～木午後14：00～17：00　土午後・日祝祭日は休診　③要電話予約　④西洋医学と東洋医学の融合を目指しています。O－リングテストを用いて、人間が本来持つ自然治癒力を高める医療を行っています。癌、感染症（細菌、ウィルス）の診断と治療、糖尿病、高脂血症、肥満などの生活習慣病にも力を入れています。⑤〒860-0821　熊本県熊本市本山１丁目５-16　TEL：096-356-3232　FAX：096-356-3262　⑥JR熊本駅よりタクシー３分　⑦HPあり

大分岡病院（統合医学診療科（内科）、特に痛み、環境汚染、がんの早期診断と治療）

①岡宗由（会長）②８：30～17：30　土・日は休診　③要電話予約　④西洋医学治療に東洋医学、漢方、ORTを応用し幅広い治療を実施している。⑤〒870-0105　大分県大分市西鶴崎３-７-11　TEL：097-522-3131　FAX：097-522-3777　⑥JR鶴崎駅より徒歩５分　⑦HPあり

大伴クリニック（内科・産婦人科・小児科）

①大伴正総（院長）②９：00～12：00、15：00～18：00　木午後、日・祝は休診　③要電話予約　④東洋医学の併用。生活療法を通じての抵抗力促進。併設の“ハピーハンド湧”では呼吸法・瞑想法の指導の他、絵画教室を開いている（主宰：大伴由美子）⑤〒904-2173　沖縄県沖縄市比屋根２-２-23　TEL：098-930-5157　FAX：098-930-5158　⑥那覇空港から北へ車で約１時間　⑦HPあり

ノーブルメディカルセンター（小児科）

①竹谷徳雄　②土、日、祝祭日は休診　③要電話予約　④発達遅滞　心身症　⑤〒

905-0206　沖縄県本部町字石川972　TEL：0980-51-7007　FAX：0980-51-7077　⑦HPあり

◎認定歯科医リスト

まさき歯科・小児歯科（小児歯科、障害者歯科、補綴歯科、審美歯科、歯周病治療・予防）

①工藤真幸（院長）　②月－金９：00～19：00、土９：00～17：00　日・祝祭日は休診　③要電話予約　④当院はお口の健康を通して、体や心の健康を考えます。赤ちゃんからご高齢の方まで、歯や口のことなら何でも御相談ください。　⑤〒060-0808　北海道札幌市北区北８条西３丁目ラ・クラッセ札幌ステーションフロント１F　TEL：011-756-4118　FAX：011-756-4120　⑥JR札幌駅北口から徒歩３分　⑦HPあり

オリエント歯科　臨床代替歯科医療札幌研究所　全身咬合治療室（一般歯科、審美歯科、ホワイトニング、予防歯科、咬み合わせ治療、口臭治療、床矯正、インプラント治療、MFT治療、レーザー治療、高周波治療、デンタルアロマセラピー）

①安井覚（大先生）　②火－金　10：00～12：30、13：30～18：00　土10：00～12：30　月曜日・日・祝祭日は休診　③要電話予約　各種カード使用可　④CREATING SMAILEIをコアとして、整体的なアプローチとO－リングテストによる確実な診療を心がけている。当然ながら自然で美しい口元の回復と心身の健康作りの具体的な提案を行っている。　⑤〒060-080　札幌市北区北７条西６丁目１-18　TEL/FAX：011-746-3155　⑥JR札幌駅北口から徒歩３分　⑦HPあり

斎藤歯科クリニック（一般歯科、審美歯科、小児歯科、矯正歯科）

①斎藤雅司（院長）　②月－金　９：00～19：00　木・土　９：00～17：00　日・祝祭日は休診　③要電話予約・WEBでの診療予約　④できるだけ「歯を削らない」「歯

を抜かない」治療をコンセプトに、しっかりとしたカウンセリングと患者さんのニーズにお応えするべく日々実践しております。⑤〒997-0042　山形県鶴岡市新形町4-31　TEL：0235-25-0566　⑥鶴岡駅より車で3分徒歩15分、旧国道7号線鶴岡第3小学校向かい　⑦HPあり

明徳会福岡歯科（一般歯科）

①福岡明（会長）　福岡博史（理事長）　②月・水・金9：30〜18：00　火・木9：30〜19：00　第2・4土9：30〜17：00　第1・3・5土、日・祝は休診　③要電話予約　④痛くない、怖くない、快適な歯科治療を標榜し、近代歯科医学と東洋医学をはじめとする代替医療をドッキングした統合医療を実施（鍼灸マッサージ院併設）。⑤〒103-0025　東京都中央区日本橋茅場町1-8-3　TEL：03-3664-3690　FAX：03-3667-4848　⑥地下鉄茅場町駅上　⑦HPあり

サンデンタルクリニック（歯科）

①小山悠子（院長）　②月・土9：30〜13：00、14：00〜17：30　火・水9：30〜13：30、15：00〜20：00　木・金9：30〜13：00、14：00〜19：00　日（第2・3のみ）9：30〜17：00　第1・4・5日曜・祝日は休診　③要電話予約　④東洋医学的療法を歯科治療に併用し、痛くないリラクゼーションのできる診療を行っている。⑤〒160-0023　東京都新宿区西新宿1丁目24-1エステック情報ビル3F　TEL：03-3348-5785　FAX：03-3346-1081　⑥新宿駅西口　⑦HPあり

パストラル歯科（歯科）

①藤巻五朗（院長）　②9：00〜18：00　日・祝祭日は休診　③要電話予約　④歯科全般　⑤〒110-0005　東京都台東区上野1-3-2上野パストラルビル4F　TEL：03-3836-0418　FAX：03-3836-3418　info@pastoral-shika.net　⑥地下鉄千代田線湯島駅6番出口より徒歩2分　⑦HPあり

大畑歯科医院（歯科）

①大畑直暉（院長）　大畑桂子　②９：00〜13：00、14：00〜17：00　木・日・祝祭日は休診　③要電話予約　④歯と全身の健康との関連を常に考慮した歯科診療　⑤〒107-0052　東京都港区赤坂４-９-18　TEL／FAX：03-3408-2298　⑥地下鉄丸の内線、銀座線「赤坂見附駅」より徒歩８分、地下鉄千代田線「赤坂駅」より徒歩８分　⑦HPあり

新橋デンタルクリニック（歯科、小児歯科、矯正歯科）

①堀内信子（院長）　②９：30〜13：00、14：00〜18：30　土・日・祝祭日は休診　③要電話予約　④筋肉のバランスのとれる咬み合わせを調べます。唾液（つば）、口臭、金属、食生活、環境等症状の原因までも探りながら、全身の健康につながる医療としてのお口の健康を考えます。　⑤〒105-0004　東京都港区新橋３-11-９烏森通りビル４F　TEL：03-3436-6480　FAX：03-3436-6405　⑥JR（山手線・京浜東北線）新橋駅より徒歩３分、地下鉄（銀座線・浅草線）新橋駅より徒歩３分　⑦HPあり

デンタルクリニック清里（歯科、小児歯科、矯正歯科）

①堀内信子（院長）　②土・日のみ診療　③要電話予約　⑤〒407-0301　山梨県北杜市高根町清里3565-５　TEL：0551-20-8035　FAX：0551-48-2853　⑥国道141号清里ライン三軒屋バス停傍

佐古歯科（歯科）

①佐古新（院長）　②月〜金　９：00〜13：00、14：00〜18：30　土９：00〜12：00　第２・４土曜日、第３木曜日、日・祝日は休診　③要電話予約　④常に無痛治療を心がけている。O－リングテストを用いて、全身状態を診ながら局所症状の改善を図る（咬み合わせの診査・調整、身体症状に適した薬の種類・量の選択等）。⑤〒110-0005　東京都台東区上野３-15-９深井ビル１F　TEL／FAX：03-3837-3550　⑥JR御徒町駅、地下鉄銀座線「上野広小路駅」、千代田線「湯島駅」より各徒歩５分

⑦ HP あり

福田歯科医院（歯科、小児歯科）

①福田徳治（院長） ②月～金　9：00～12：30、14：30～18：30　土9：00～12：30　木、日、祝祭日は休診　③要電話予約　⑤〒125-0041　東京都葛飾区東金町3－1－5　TEL：03-3607-8046　FAX：03-3607-0945　⑥ JR 金町駅（千代田線直通）より徒歩5分　⑦ HP あり

萬葉歯科医院（歯科、矯正歯科、小児歯科、予防歯科）

①萬葉陽巳（院長） ②10：00～13：30、14：30～19：00　木・土・日・祝祭日休診　③要電話予約　④歯科矯正、歯周病治療、予防、統合歯科医療などすべてを統合して来院された方の健康や審美性、機能性、日常生活の快適性などを改善したいと思っています。歯科医療に統合医療を取り入れ全身を考慮した歯科治療も行います。 ⑤〒359-1111　埼玉県所沢市緑町1－18－1 広英ビル2F　TEL／FAX：042-924-8841　⑥西武新宿線新所沢駅から徒歩2分　⑦ HP あり

医療法人コスギ会　コスギ歯科医院　富山分院：小杉歯科医院（歯科）

①小杉宗弘（院長） ②コスギ歯科医院　9：30～12：00、14：00～18：00　水・木は富山診察　祝祭日は休診　③要電話予約　④歯科用金属アレルギー治療（掌蹠膿胞症研究）、骨粗鬆症及び脳梗塞や心筋梗塞の危険因子の歯科からの早期発見　⑤〒273-0046　千葉県船橋市上山町1－104-33　TEL：047-337-9171　〒939-2353　富山県富山市八尾町今町1697　TEL：076-454-7567　⑥ JR 船橋法典　⑦ HP あり

共田歯科医院（歯科一般、矯正歯科、小児歯科、咬合歯科）

①共田文彦（院長） ②9：30～12：30、15：00～19：00　水・日・祝祭日は休診　③要電話予約　④矯正治療と全身健康、歯科東洋医学　⑤〒272-0804　千葉県市川市南大野2－20-12　TEL：047-337-1999　FAX：047-337-6115　⑥ JR 武蔵野

線市川大野駅より徒歩15分　⑦HPあり

七沢歯科医院（歯科、小児歯科、矯正歯科）

①七沢久子（院長）　②9：30～13：00、14：30～18：00　土・日・祝祭日は休診　③予約あり　④心と体の健康を考えた歯科統合医療を提供することを目指しています。薬剤や歯科材料の選択、投与量、また患歯の診断、咬合においてO－リングテストを使用して、適切な処置を心掛けています。⑤〒400-0822　山梨県甲府市里吉4－8－35　TEL：055-232-1811　FAX：055-235-3138　⑥JR中央線：甲府駅、酒折駅、JR身延線：南甲府駅　⑦HPあり

医療法人社団　新神戸歯科（歯科）

①藤井佳朗（院長）　②月～金曜日　10：00～13：00、14：00～18：00　土日・祝日は休診　③要予約（現在初診約1年半待ち）　④歯科領域と全身の関連性を常に考慮した治療に取り組んでいます。自費治療のみ　⑤患者多数につき施設住所、連絡先は割愛していただきたく存じます。⑥JR元町駅　⑦HPあり

医療法人育侑会　花野歯科　和泉診療所（歯科一般、小児歯科、歯周病［歯周病認定医］、咬み合わせ治療、インプラント治療）

①花野茂良（院長）　②月火木金土　9：30～12：30　月金　14：00～19：00　水曜午前手術日　日・祝祭日は休診　火土午後は休診　③要電話予約　④金属アレルギー、薬の適合、薬の飲み合わせ、筋肉の異常緊張（緊張性頭痛）、顎関節の異常、歯周病、虫歯の原因　⑤〒594-1102　大阪府和泉市和田町230-1　TEL：0725-56-5064　⑥泉北高速鉄道光明池駅または和泉中央駅よりバスで10分　⑦HPあり

医療法人育侑会　花野歯科　枚方診療所（歯科一般、小児歯科、歯周病［歯周病認定医］、咬み合わせ治療、インプラント治療）

①花野育子（理事長）　②月火木金土　9：30～12：30　月火木金　14：00～19：

00　水曜午前手術日　日・祝祭日休診　土曜午後休診　③要電話予約　④金属アレルギー、薬の適合、薬の飲み合わせ、筋肉の異常緊張（緊張性頭痛）、顎関節の異常、歯周病、虫歯の原因　⑤〒573-0047　大阪府枚方市山之上４-30-１　TEL：072-846-4182　⑥京阪電鉄「枚方市駅」よりバスで10分（バスの本数は多数）宮ノ前橋のバス停より徒歩３分　⑦HPあり

黒田歯科医院（歯科）

①黒田勇一（院長）　②９：00～12：00、15：00～18：00　木、日、祝祭日は休診　③要電話予約　④顎関節の治療に応用するが有病者にも施行している　⑤〒763-0045　香川県丸亀市新町４－７　TEL／FAX：0877-21-2881　⑥丸亀駅より徒歩５分

医療法人きしぼ心和会　大林歯科小児歯科医院（歯科、小児歯科、口腔外科）

①大林京子（院長）　②９：00～18：30　日曜日・年末年始・お盆は休診　③要電話予約　④「口からはじめる健康づくり」をモットーに予防歯科治療に取り組んでいます。障がいのある方や子供さんもたくさんいらっしゃいます。また訪問診療にも取り組んでいます。口を大切に守ることで、全身の健康維持にお役に立ちたいと願っています。⑤〒811-3425　福岡県宗像市日の里６丁目16番７号　TEL：0940-36-1182　FAX：0940-37-2089　⑥JR鹿児島本線東郷駅から徒歩20分、西鉄バス10分、タクシー５分　⑦HPあり

◎認定鍼灸師リスト

東洋鍼灸院（鍼灸、指圧）

①田中俊男（院長）　②10：00～22：00　毎週金曜日は休診　③要電話予約　④なかなか良くならない症状に対して、Ｏ－リングテストを使い、身につける物から、生活環

境、口に入れる物を検証し、体が喜ぶ環境を考えます。また本人が気がつかない病気のネットワークを捜し、未病対策にも力を入れています。 ⑤〒140-0004　品川区南品川 2-11-4　TEL：0120-489-891、03-3474-5559　FAX：020-4663-3136　⑥ JR 品川駅からタクシーで 5 分、京浜急行、新馬場駅南口から徒歩 3 分、京浜急行、青物横丁駅から徒歩 7 分　⑦ HP あり

片山明子の鍼灸治療室「パレアナ」（鍼灸治療、ホメオパシー治療、プラニックヒーリング、ごしんじょう療法）

①片山明子（院長）②火～金　10：00～19：00　土・日・月・祝祭日は休診　③完全予約制　④O－リングテスト、脈診を用いて診断。鍼灸、ホメオパシー、プラニックヒーリング、ごしんじょうなど患者さんの症状に応じて使い分け、治療に当たっています。 また、食事指導には力を入れています。⑤〒177-0054　東京都練馬区立野町27-4　TEL／FAX：03-3928-7581　⑦ HP あり

東洋治療院銀座エトレ（はり、きゅう［鍼・灸］）

①原　たま江（院長）②月・水・木・金12：00～18：00　土11：00～18：00　火・日・祝日は休診　③要予約　④O－リングテストを応用して、オーダーメイドの治療を行い、未病を防ぐお手伝いをしています。⑤〒104-0061　東京都中央区銀座1丁目5-1-403　TEL：03-3563-3078　⑥東京メトロ有楽町線銀座一丁目駅徒歩2分

浅草エトレ

①原　たま江（院長）②月10：00～11：00　火10：00～18：00　水・木・金10：00～11：00　土・日・祝日は休診　③要予約　④O－リングテストを応用して、オーダーメイドの治療を行い、未病を防ぐお手伝いをしています。⑤〒111-0035　東京都台東区西浅草2-25-13　TEL03-5828-8222　⑥つくばエクスプレス「浅草」駅徒歩8分

臨床免疫代替医療クリーネ（獣医科、東洋医学科、往療）

①岩本和久（院長）　②土、日、祝祭日休診　③要電話予約　④東洋医学全般　⑤〒105-0004　東京都港区新橋５－６－４トウシエ新橋204　TEL：090-2590-2499

山本鍼灸院（気功［気ばり］、はり・灸、東洋医学、全体治療）

①山本憲次（院長）　山本忍（副院長）　②火～土　９：00～12：00、13：30～18：00　日曜日・月曜日・祝祭日は休診　③要電話予約　④気診及びＯ－リングテスト法で診断し、治療は主に気功で行い、必要に応じてはり・灸も行います。患者様のリスクを最小限に考え、短時間の無痛治療を心がけつつ、病気の根本治療に当たっています。　⑤〒272-0034　千葉県市川市市川１-26-24　TEL/FAX：047-323-0702　⑥JR総武線市川駅北口より徒歩７分、京成線市川真間駅南口より徒歩１分　⑦HPあり

鍼灸専門　桜林堂（東洋医学全般）

①高桜洋（院長）　②月～土　９：00～18：00　水・日曜・祝祭日は休診　③要電話予約　④西洋医学では難病といわれる疾患の改善に取り組んでいます。うつ病、パニック障害、偏頭痛等の神経の疾患から、関節リウマチ、アトピー性皮膚炎や花粉症、不妊症等の婦人科系疾患までＯ－リングを用いて治療に当たります　⑤〒224-0003　横浜市都筑区中川中央１-33-７-２　TEL／FAX：045-915-5539　⑥横浜市営地下鉄「センター北駅」徒歩３分　⑦HPあり

臨床免疫代替医療研究所（東洋医学全般）

①木本貴士（院長）　②日、祝祭日は休診　水曜、土曜は午後休診　※往診可　③要電話予約（予約制）　④Bi-Digital O-Ring Testを用いた鍼灸免疫療法、整体やその他の代替医療も取り入れています。特に日常生活での食事など予防指導も行います。　⑤〒543-0025　大阪府大阪市天王寺区下味原町３－９BWI下味原ビル５F　TEL：06-

6776-1988　⑥鶴橋駅（JR・近鉄・地下鉄）から徒歩１分　⑦HPあり

風心堂（三輪鍼灸院）（はり・きゅう）

①風間祐二　②９：00～12：00、15：00～19：00　日曜日は休診　③要電話予約　④O－リングテストによる鍼灸診療、東洋医学的スクリーニングによる自己免疫活性療法　⑤三輪店（本店）　〒380-0816　長野県長野市大字三輪1287-３　TEL／FAX：026-234-0169　長野駅前店　〒380-0823　長野県長野市南千歳１-３-９　TEL：090-2647-5735　⑥長野電鉄善光寺下駅から徒歩５分、長野駅から徒歩５分　⑦HPあり

丸山鍼灸科（はり・灸、小児はり、専門治療）

①丸山源司（院長）　②８：00～18：00　日曜日・祝日・水曜日午後は休診　③要電話予約（完全予約制）　④古来の東洋医学的手法をベースに、バイ・ディジタルO－リングテストを駆使し、最新の医学的知見に基づいた東西医学の融合による全体治療を心がけています。また、心身相関の考えのもと、肉体面だけでなく、精神面も十分考慮した治療を行っています。　⑤〒510-0001　三重県四日市市八田１-13-17医療総合ビル１F　TEL／FAX：059-333-2259　⑥近鉄霞ヶ浦駅より徒歩１分、四日市東インターより車で10分

ますい鍼灸整骨院（鍼灸科、接骨科、整骨科、鍼灸、植物療法、ハーブ茶、アロマセラピー）

①増井利次（院長）　②９：00～12：00、16：00～19：30　日・祝日は休診　③当院の診察につきましては必ずご予約願います。　④自律神経の不調に対し鍼灸施術にて西洋医学の薬物依存からの脱却を図り、症状を改善している。　⑤〒577-0803　大阪府東大阪市下小阪２-７-16　TEL／FAX：06-6730-2512　⑥近鉄難波奈良線河内小阪駅（準急行停車駅）下車徒歩５分

金井接骨院（鍼灸、整復、東洋医学その他）

①金井聖徳（院長） ②９：00〜12：00、15：30〜19：00 水・土の午後、日、祝祭日は休診（その月により、水・土は午前も休診あり） ③要電話予約 ④O－リングテストその他の手法により病状の把握・治療・日常生活上のアドバイスを行う。必要に応じ地域の医療機関と連携して症状改善に努める。 ⑤〒662-0841 兵庫県西宮市両度町６-31プラザ北口 TEL／FAX：0798-65-7031 ⑥阪急西宮北口駅徒歩15分、JR 西宮駅徒歩15分

シマヤ真鍋漢方薬局 付設 琴平シマヤ鍼灸院（鍼灸、漢方）

①真鍋立夫（院長） ②９：00〜13：00、14：00〜20：00 木・日・祝は休診 薬局は日曜日のみ休み ③要電話予約 ④O－リングテストを応用し、投与しようとする漢方処方や健康食品の適合のチェック及び適量を調べ、誤診や誤用を防ぎ、また鍼灸治療に際し、症状改善に最も適したツボや経絡を調べ効率の良い治療を行っている。難病でお困りの方は当方のできる限りの範囲で診察いたします。 ⑤〒766-0002 香川県仲多度郡琴平町225 薬局 TEL：0877-75-3574 FAX：0877-75-3662 鍼灸院 TEL：0877-75-3554 FAX：0877-75-3504 ⑥ JR 琴平駅・コトデン琴平駅より徒歩５分 ⑦ HP あり

川嶋鍼灸整骨院（鍼灸科、各種保険取扱）

①川嶋洋士（院長） ②月〜金曜日：９：00〜12：30、14：30〜19：00 土曜日：９：00〜13：00 水・日曜日は休診 ③要電話予約 ④鍼灸領域における東洋・西洋医学の長所を取り入れて「体質改善」「未病を防ぐ」といった保健のための鍼灸治療、足三里の治療、骨折、脱臼、捻挫、打撲、挫傷、原因不明の身体の不調や痛みなど、お体の健康についてお気軽にご相談ください。⑤〒849-0937 佐賀県佐賀市鍋島３-７-７ TEL／FAX：0952-31-6820 ⑥佐賀駅バスセンターより51番のバスで医学部入口下車、徒歩３分、50番のバスで鍋島シェスト前下車、徒歩２分

◎認定薬剤師リスト

薬学部役員（漢方薬や民間薬、食事と環境についてアドバイスを行っています）
①廣部千恵子（前教授）②メール予約で毎週1回行っています。③要メール予約　④Ｏ－リングテストを利用して、体に良い食べ物、薬草などの研究を行っている。（医療の診断の補助と生活習慣チェックを主に行っている）⑤〒163-1515　東京都新宿区西新宿新宿エルタワー15階、メール予約は chirobe@a02.itscom.net　TEL：090-6541-6911（メールのない人のみ。電話はつながるまでかけてください）　⑥ JR 新宿駅

◎認定獣医師リスト

前田獣医科医院（獣医科全般［犬と猫に限る］）
①前田淳二（院長）②9：00～12：00（月－土曜）、16：00～18：00（月・水・金）　日曜・祝日・第2土曜は休診　③通院できる方のみで来院順になります。予約診療はしておりません。　④西洋医療に鍼灸温熱光線オゾン療法・漢方ハーブ・プラセンタ等を組み合わせ BDORT を活用した統合獣医診療を行っています。⑤〒637-0004　奈良県五條市今井3-6-45　TEL／FAX：0747-22-0045　⑥ JR 五条駅

◎その他（患者さんへのＯ－リング指導）

ヒロ・ヤマダ・デンタル・オフィス青山（患者様向けにＯ－リングの勉強会を行います）
①山田愛子　②10：00～19：00　毎週木曜日、第2、3、4土曜日は休診　③要予約　④Ｏ－リングでの歯科診察は行っておりませんが、当歯科医院患者様向けにＯ－リング勉強会を行います。　⑤〒103-0062　東京都港区南青山2-29-9南青山リハイム101　TEL：03-3479-2820　FAX：03-3402-1560　⑥銀座線　外苑駅 A-1出

口より徒歩５分　⑦HPあり

山田歯科クリニック川崎（患者様向けにO－リングの勉強会を行います）

①山田愛子　②９：00～18：00　毎週日曜日、祝日休診　③要予約　④O－リングでの歯科診察は行っておりませんが、当歯科医院患者様向けにO－リングの勉強会を行います。⑤〒212-0054　神奈川県川崎市幸区小倉１－３－14　TEL：044-599-3191　FAX：044-599-1188　⑥JR新川崎駅より徒歩10分　⑦HPあり

著者プロフィール

大村 恵昭（おおむら よしあき） YOSHIAKI OMURA, M.D., Sc.D.

医学博士（米・コロンビア大学）／工学士（早稲田大学）／医学士（横浜市立大学）

ニューヨーク医科大学家庭医学教授（非常勤）、ニューヨーク心臓病研究所所長、国際鍼電気治療大学学長、ウクライナ国立キエフ医科大学ノンオーソドックス医学科前教授、日本バイ・ディジタルO－リングテスト協会会長。

1934年（昭和９）、富山県生まれ。早稲田大学理工学部、横浜市立大学医学部を卒業後、東京大学医学部附属病院のインターンを経て、59年に渡米。コロンビア大学医学部心臓外科研究員、同大学のがん研究所附属病院のレジデント医を務め、並行して３年間、同大学物理学大学院で実験物理学を学ぶ。65年に一個の心臓の細胞の薬理電気生理学の研究でコロンビア大学医科学の博士号（Sc.D.）を取得。93年には米国でバイ・ディジタルO－リングテストの特許を取得。

現在も、がん、アルツハイマー病、神経、血管病などの非浸出的早期診断と安全で効果的治療法、およびO－リングテスト普及のために、世界各地で講演・講習・セミナー活動を精力的に行う。英・ケンブリッジのインターナショナル・バイオグラフィカル・センターが刊行した「21世紀を創った500人」および「世界の医療関係者のトップ100人」の一人にも選ばれている。また米国のアメリカン・バイオグラフィカル・インスティテュートから出版された「世界の100人」の一人にも選ばれている。

近著に『ニューヨーク医大教授の「手の刺激」健康・長寿術』（マキノ出版）、『「手をもむ」だけで病気が治る！ 脳が若返る！』（共著、マキノ出版）がある。

顔を見れば病気がわかる　O－リング応用健康法

2012年9月15日　初版第1刷発行
2023年5月10日　初版第5刷発行

著　者　大村 恵昭
発行者　瓜谷 綱延
発行所　株式会社文芸社
〒160-0022　東京都新宿区新宿1－10－1
電話　03-5369-3060（代表）
03-5369-2299（販売）

印刷所　株式会社フクイン

ISBN978-4-286-12835-1